Matthias Koglbauer

Grönland-Winter

Mit dem Hundeschlitten durch die Arktis

Die Aufnahmen stammen von Central Color (S. 17 und Umschlag), Wedigo Ferchland (S. 142 unten), Ferchland/Meltofte (S. 142 oben), Lindenburger/Reismüller (S. 35), historische Aufnahmen (S. 159/160), alle übrigen Aufnahmen vom Verfasser. Kartenskizzen: Karl Schulz.

Lizenzausgabe mit Genehmigung der
Stähle + Friedel Verlagsgesellschaft mbH + Co., Stuttgart
für die Europäische Bildungsgemeinschaft Verlags-GmbH, Stuttgart
für die Bertelsmann Reinhard Mohn GmbH, Gütersloh
und für die Buchgemeinschaft Donauland Kremayr & Scheriau, Wien
Diese Lizenz gilt auch für die Deutsche Buch-Gemeinschaft
C. A. Koch's Verlag Nachf., Berlin – Darmstadt – Wien

Gesamtherstellung: Mohndruck Reinhard Mohn GmbH, Gütersloh
Umschlag- und Einbandgestaltung: Ingeborg Baar
Printed in Germany · Bestellnummer: 01284 9

GEBT MIR WINTER –
GEBT MIR HUNDE –
und alles andere könnt ihr behalten!
Knud Rasmussen

GELEITWORT

Es waren schneidige Burschen, die im Winter 1938 die sonnigen Pulverschneehänge der Parsenn durchpflügten, über verschneite Hüttendächer und hohe Wächten sprangen und auch sonst zu jeder Gaudi bereit waren. Einer dieser fröhlichen Gesellen war der Steirer Hias Koglbauer, Kamera-Assistent und Feuerwehrhauptmann während der Aufnahmen zu meinem Skifilm »LIEBESBRIEFE AUS DEM ENGADIN«, den ich 1938 in Davos drehte.

Seither stand ich mit Hias Koglbauer ständig in Verbindung. Er erwies sich als guter, treuer Kamerad, und wenn wir dann in Bozen oder Graz beisammen saßen und er mit Begeisterung von Grönland erzählte, von den Menschen und Bergen dort oben, dann spürte ich aus jedem seiner Worte eine seltsame Liebe zur Arktis.

Ich wunderte mich daher nicht, daß dieser so naturverbundene Sportsmann nach vier Sommerexpeditionen einmal sogar auch im Winter nach Grönland ging. Bei diesem Aufenthalt lernte er auf langen Schlittenreisen das Leben seiner Eskimofreunde auch in der kalten Jahreszeit kennen und kann daher aus eigenem Erleben über sie berichten.

In humorvollem Erzählerton läßt er uns teilhaben an seinen Hundeschlittenreisen in der Polarnacht, an Seehundjagden an der Eiskante und an Skikursen mit seinen kleinen Lieblingen, den pausbackigen Eskimokindern.

Hias Koglbauer bezeichnet in seinem interessanten Buch Grönland als das »verlorene Paradies«. Zwar nicht das Paradies des »Dolcefarniente« – des süßen Nichtstuns –, sondern des aktiven Lebens, der Freiheit und Bewährung, die wir Bergsteiger sonst in den Bergen suchen.

Hias Koglbauer will mit diesem Buch der Jugend und allen im Herzen jung Gebliebenen nicht nur die Schönheiten der Arktis, sondern auch den harten Daseinskampf ihrer liebenswürdigen Bewohner vor Augen führen, und das ist ihm hervorragend gelungen.

Luis Trenker

VON DER ARKTIS GEBISSEN

In aller Bescheidenheit ein paar Zeilen über mich. Ich nehme mich nicht besonders wichtig. Sie können diese ersten Seiten also auch überspringen. Für alle jene aber, die es doch interessiert, wie ich meine Liebe zu Grönland entdeckte, sei es kurz gesagt: Als kleiner Lausbub schon fesselten mich die Berichte der Polarforscher. Ich konnte mich an ihren arktischen Abenteuern mehr begeistern als an allen Karl-May-Geschichten. Den entscheidenden Anstoß aber bekam ich durch meinen Aufenthalt als Berg- und Skiführer in Norwegen. Dort wurde ich mit Männern der Polarforschung persönlich bekannt – und irgendwann ist es dann passiert: ich wurde vom Arktisbazillus erfaßt, sozusagen von der Arktis gebissen.

Ob durch Trygve Gran, den norwegischen Teilnehmer an Scotts tragischer Südpolexpedition 1912, oder durch Dr. Ernst Sorge, einen Teilnehmer an Prof. Alfred Wegeners Grönlandexpedition 1930–31, läßt sich nicht sagen.

Vielleicht durch beide.

Mit diesen Männern war ich viel im norwegischen Hochgebirge unterwegs, und herzliche Freundschaft verband mich mit ihnen.

Ihre Erzählungen fesselten mich, und ihre Forscherpersönlichkeiten waren mein Vorbild.

Anscheinend gibt es gegen den Arktisbazillus kein wirksames Mittel. Ich bereitete mich ernsthaft auf Grönland vor, ohne zu wissen, ob ich jemals hinkommen würde.

Ich spannte Rentiere oder Polarhunde vor Pulkaschlitten und zog damit über die weiten norwegischen Gletscher. (Waren einmal keine Zugtiere vorhanden, schnallte ich mich kurzerhand selbst an die Deichsel.) Ich lernte den Bau von Schnee-Iglus. Zuerst rein theoretisch durch das Studium der Arktisliteratur, dann mit Plastillin am Schreibtisch im warmen Hotelzimmer und schließlich draußen im Schnee.

Wohl nie werde ich meine erste Nacht in einem selbstgebauten Iglu vergessen: es war eine stürmische Winternacht am Hardanger-Jökull. Nach einer Stunde harter Arbeit betrachtete ich wohlgefällig das bienenkorbartige Gebilde aus Schnee, das da vor mir stand. Dann kroch ich hinein und verschloß von innen mit einem Schneeblock den Eingang. Somit war ich eingemauert.

Ich zündete in Kopfhöhe eine Kerze an und wartete darauf, daß mir durch die völlige Abgeschlossenheit von der Außenwelt irgendwann der Sauerstoff ausgehen würde. Natürlich blieb ich wach, machte Temperaturaufzeichnungen und beobachtete die Kerze. Wenn der Sauerstoff knapp wird, muß auch die Flamme schwächer werden: Das war meine Überlegung. Ich saß auf einer Bank aus Schnee, fühlte mich wohl und freute mich über meinen selbstgebauten Iglu.

Gegen Mitternacht wurden meine Füße kalt und gefühllos. Ich wollte die Schnürung lockern, beugte mich hinunter und wurde bewußtlos. Wie es mir gelang, im Sturz noch den Spaten zu erwischen und ihn durch die Schneewand zu stoßen, weiß ich nicht.

Als ich wieder zu mir kam, lag ich auf dem Boden, und durch das Loch strömte kalte Winterluft.

Was war geschehen?

Das schwerere Kohlendioxyd bildete am Boden des Iglus einen giftigen Sumpf, in welchen ich beim Bücken mit dem Kopf eintauchte und dadurch sofort das Bewußtsein verlor.

Wie doch das Leben manchmal an einem Seidenfaden hängt!

Jahre zogen vorüber.

Immer noch war meine Liebe zu Grönland rein platonisch. Ich ging mit einem Hochgebirgsbataillon in den Kaukasus, wurde verwundet, flog nach meiner Genesung nach Afrika und schwamm bald darauf als Gefangener mit der »Queen Mary« über den großen Teich.

Statt der unbegrenzten Weite Grönlands umgaben mich drei Jahre lang Stacheldraht und Wachttürme, statt Eskimos farbige Wachposten.

Wohl kann man den Körper hinter Gittern halten, aber nicht die Gedanken und die Sehnsucht!

Die Jahre in den Baumwollfeldern Neu-Mexikos vergingen – der Traum von Grönland blieb.

Und so wie ich, träumte in Semriach, einem kleinen steirischen Ort in der Nähe von Graz, ein anderer unruhiger Geist von den Bergen und

Nordpolarmeer
Lincoln-See
Kap Morris Jessup
PEARY-LAND
ELLESMERE-LAND
(KANADA)
Station Nord
GRÖNLAND
(DÄNEMARK)
Thule
Thule-Luftbasis-USA
GERMANIA-LAND
Danmarkshavn
Kap Bismarck
Baffin-Bai
SABINE-INS.
Daneborg
Kap Broer-Ruys
Upernavik
2930 m
Staunings-Alpen
Mesters-Vig
Liverpoolküste
3220 m
Qamarujuk-Fjord
Umanak
Scoresbysund
DISKO-INSEL
Godhavn
Jakobshavn
Egedesminde
Christianshaab
KG. CHRISTIAN IX-LAND
Holsteinsborg
Söndreströmfjord
3489 m
POLARKREIS
Angmagssalik
Kulusuk
ISLAND
Reykjavik
Sukkertoppen
Godthaab
Frederikshaab
Julianehaab
Frederiksdal
Kap Farvel
Nordatlantik
500 km • Wetterstation
Sch.

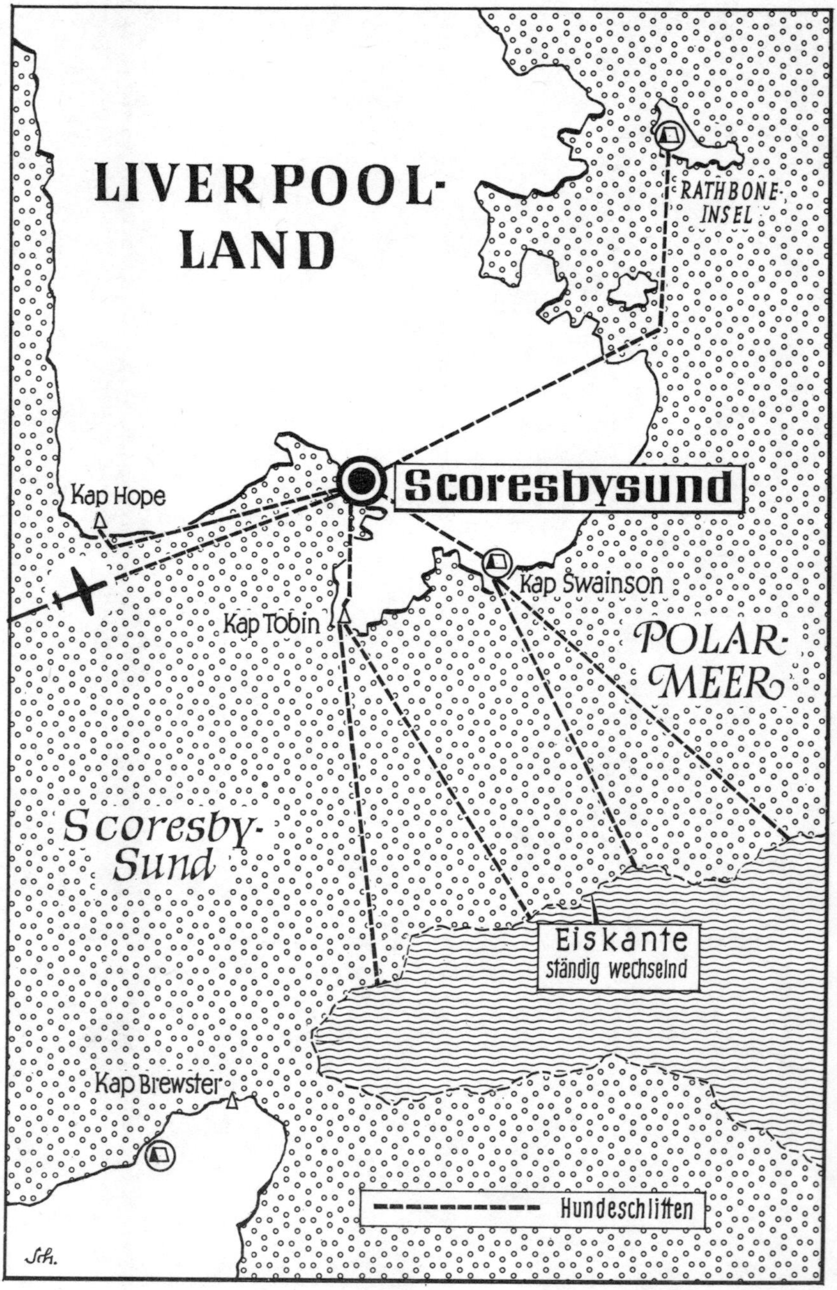

LIVERPOOL-
LAND
RATHBONE-
INSEL
Scoresbysund
Kap Hope
Kap Swainson
Kap Tobin
POLAR-
MEER
Scoresby-
Sund
Eiskante
ständig wechselnd
Kap Brewster
Hundeschlitten
Sch.

Gletschern Grönlands: Hans Gsellmann, Expeditionsbergsteiger, Skilehrer und Arktisbegeisterter.

Was lag näher, als daß wir uns fanden und in zweijähriger Planung und Organisation die »Erste Österreichische Grönlandexpedition 1957« des Österreichischen Alpenvereins auf die Beine stellten.

Wir charterten in Reykjavik eine Catalina-Maschine und ließen uns an der Ostküste im innersten Alpefjord absetzen.

Hier, auf 72 Grad Nord, lebten wir einen Sommer lang wie Bergvagabunden der Arktis: Zelt, Pickel, Ski und Faltboot waren unser Rüstzeug, Polenta, Speck und Teigwaren unsere Hauptnahrung; und zum Nachtisch holten wir uns frischen Tang aus den Fjorden.

Wir standen auf 19 Gipfeln, die bisher noch keines Menschen Fuß betreten hatte. Ohne Zweifel ein kühnes Unternehmen, da wir keine Ahnung hatten, wie wir im Herbst wieder die Außenküste erreichen würden, wo wir in Mesters Vig ein Schiff für die Heimreise zu finden hofften.

Doch in Grönland werden selbst heute, in unserem nüchternen Zeitalter, noch Märchen wahr: als Gäste des großen dänischen Reeders Knud Lauritzen fuhren wir auf dessen Privatjacht »Vippa-Dan« den Alpefjord hinaus zur Außenküste.

Damit war der Bann gebrochen!

Aus der platonischen Liebe zu Grönland wurde Besessenheit! Man sagt nicht umsonst, wer einmal die Arktis kennengelernt hat, sei ihr verfallen. (Vorausgesetzt, er hat eine gesunde Freude am Abenteuer und persönlichen Einsatz.)

Jetzt geht es Schlag auf Schlag. Zwei Jahre später sind wir wieder in Grönland. Diesmal im Kong-Kristian IX.-Land, im Angmagssalik-Distrikt.

Bei diesem Unternehmen hatten wir erstmals Kontakt mit den Einheimischen. Wir charterten zwei Grönländer mit ihren Hundegespannen, verluden unser ganzes Gepäck auf die Schlitten und zogen über die Gletscher in das Landesinnere.

Gentlemanlike liefen wir neben den Schlitten her.

Eine Nacht lang.

In der zweiten kam die Enttäuschung:

Völlig unvermittelt entluden unsere beiden Grönländer inmitten eines riesigen Gletscherkessels die Schlitten und wollten heim.

Was sollten sie hier in den Bergen, wo es nichts zu jagen und zu fischen gibt? Mochten die verrückten Österreicher allein weiterziehen.

Und wir zogen weiter!

Mit einem Schlitten, auf dem das Gepäck verladen war, das früher auf zwei Schlitten von zwanzig Hunden gezogen wurde. In einer feierlichen Zeremonie degradierte Hansl uns zu grönländischen Schlittenhunden, indem er jedem eine Seilschlinge überreichte, an deren anderem Ende der 500 Kilo schwere Schlitten hing. Wir hatten diese Degradierung mit dem Geheul der Polarhunde akzeptiert. Doch nicht genug damit. Wir kläfften und jaulten, hoben ein Bein, beschnupperten uns gegenseitig und benahmen uns wie richtige Polarhunde – besser gesagt, wie richtige Lausbuben.

Wenn uns die Grönländer auch im Stich gelassen hatten, die gute Laune konnten sie uns nicht nehmen.

Wir haben diesen hochbeladenen Schlitten noch 200 Kilometer über Gletscher gezogen, über Moränen geschleppt und an Steilhängen auf- und abgeseilt.

1961 fliege ich mit Dr. Kurt Rotter und seiner Frau an die Westküste Grönlands, um im Qamarujukfjord eine von der Universität Graz gestiftete Gedenktafel für Prof. Dr. Alfred Wegener anzubringen. Wir waren oben auf dem Inlandeis, fanden Wegeners Propellerschlitten »SCHNEESPATZ« und »EISBÄR« und bewegten uns auf den Spuren seiner ruhmreichen Expedition. Zur Enthüllung der Gedenktafel war die gesamte dänische Prominenz des Umanak-Distriktes erschienen. Ein Beweis dafür, daß man Alfred Wegener bis heute nicht vergessen hat und seinem Namen noch nach Jahrzehnten mit derselben Hochachtung begegnet wie einst.

Was uns aber besonders freute, war die Tatsache, daß man zu dieser Feier auch einen der letzten noch lebenden grönländischen Teilnehmer an der Wegener-Expedition, Detlef Frederiksen aus Uvkussigssat, mitbrachte. Er war als Hundeschlittenführer bei der Wegener-Expedition und betreute mit seiner Frau Sarah im Winter 1930–31 die Wissenschaftler in der Weststation und im Qamarujukfjord. Auf einstimmigen Wunsch aller anwesenden Dänen löste Detlef Frederiksen den Biwaksack von der verhängten und mit Blumen geschmückten Gedenktafel.

Anschließend gedachte er in einfachen Worten Alfred Wegeners und seiner Expeditionskameraden.

Nach diesem Unternehmen kamen einige Jahre der Ruhe. (Soweit man dies von einem so unruhigen Geist sagen kann.)

Während dieser Zeit versuchte ich mich an der Schreibmaschine. Das erste Ergebnis war ein Grönlandreport in 50 Fortsetzungen, der von Radio Graz gesendet wurde und ein starkes Echo fand.

»Ich komme jeden Tag zu spät ins Büro, weil ich mir Ihre Grönlandsendung nicht entgehen lassen will!«

Das war zu jener Zeit ein oft gehörter Vorwurf. Ermutigt durch diesen ersten Erfolg, bearbeitete ich in den nächsten zwei Jahren jede Nacht bis 1 Uhr früh die Schreibmaschine. Seite um Seite wurde vollgeschrieben, gelesen – und in den Papierkorb geworfen! Was nach dieser Selbstzensur noch übrigblieb, war das Manuskript meines ersten Grönlandbuches »Berge und Packeis«, das 1965 im Leykam Verlag in Graz erschien und im gesamten deutschen Sprachraum große Beachtung fand.

1967 packte mich ein neuerlicher »Grönlandanfall.« Kurz entschlossen fuhr ich per Schiff in die nördlichste Eskimosiedlung der Ostküste, nach Scoresbysund.

Allein.

Diesmal waren es besonders die Menschen, die mich interessierten. Die Nachkommen jener Handvoll Eskimos, die von dem Dänen Gustav Holm im Jahre 1884 entdeckt wurden.

In einer Zeit, in der unsere Wissenschaftler bereits Hunderttausende von Lichtjahren in die Tiefe des Weltalls blickten, in der schon 30 Jahre lang die Bahn über den Semmering rollte, lebten diese Menschen noch in der dunkelsten Steinzeit. Sie kannten weder Bronze noch Eisen, jagten ihre Beute mit Stein- und Knochenwerkzeugen und gerbten die Felle mit menschlichem Urin.

Mit den unmittelbaren Nachkommen dieser Steinzeiteskimos trieb ich mich wochenlang im größten Fjordsystem unserer Erde, dem 300 Kilometer tief in das Land einschneidenden Scoresbysund, herum.

Wir hatten am Sydkap Seehunde gejagt, im Föhnfjord herrliche Lachse gefangen und in der Nordostbucht Graugänse geschossen. Sie hatten mich nach dem Genuß von trichinenverseuchtem Eisbärenfleisch gepflegt, mich gestützt und festgehalten, damit ich nicht über Bord fiel, wenn ich kraftlos an der Reling saß und das vergiftete Fleisch den Wassern des Scoresbysund opferte.

Dies alles waren Sommerunternehmungen.

Niemand von uns kennt Grönland im Winter.

Da trifft mich einige Jahre später ein harter Schlag. Meine Frau, Gefährtin eines langen Lebens, erlag einer tückischen Krankheit. Langsam und qualvoll siechte sie dahin. Die vorletzte Station war der Rollstuhl. Täglich fuhr ich sie im Park des Sanatoriums spazieren. In den Bäumen zwitscherten voll Lebenslust die Vögel, die Luft zitterte vom Flügelschlag der Insekten, und den Blumen und Sträuchern entströmte betäubender Duft.

Schwer lag die Glut des Sommers über dem Land – doch meine Frau fror. Sie machte eine müde Kopfbewegung, als wollte sie sagen: sieh, wie schön ist doch die Welt, und ich muß Abschied nehmen von all dieser Schönheit.

Langsam lösten sich Tränen aus ihren Augen und rannen wie Perlen über ihre fahlen Wangen. Ich küßte sie ihr fort, wie ich es auch früher immer getan hatte, und sagte ein paar tröstende Worte, wissend, daß sie nur die kleine Beruhigung geben konnten, einen lieben Menschen um sich zu haben.

In mir aber bäumte sich der Trotz gegen dieses Schicksal übermächtig auf. Ich hätte schreien können vor Schmerz, ich haßte plötzlich alles um mich her, das Leben, die Welt, alles, alles.

Warum mußte gerade sie, die immer nur Gutes getan und überall geholfen hatte, so grausam langsam dahinsiechen?

Nach Monaten erlosch auch das letzte kleine Flämmchen in ihren Augen, und keine Träne quoll mehr daraus hervor. Mit einer Kranken-

Sonnenuntergang an der Eiskante.
In diesen offenen Wasserstellen tauchen Seehunde, Robben und Walrosse zum Atmen auf

FLUGFELAG ISLANDS

schwester trug ich sie um die Mittagsstunde durch die Katakomben des Sanatoriums unter der Straße hinüber zur Kirche.

Der unterirdische Gang war nur matt beleuchtet, die Luft war feucht und modrig und erschwerte das Atmen.

Als wir mit unserer Tragbahre an einer Gruppe Maurer vorbeikamen, hielten sie mit entblößten Köpfen in der Arbeit inne und blickten uns schweigend nach.

Dieser letzte gemeinsame Weg dünkte mich unendlich lang. Als wir ihr die Hände gefaltet und ein paar Blumen dazugelegt hatten, wurde es auch in mir Nacht. Es war der Abschied von einem Leben erfüllter Zweisamkeit.

In dieser Finsternis und inneren Leere, die mich umgab, suchte ich Zuflucht und Trost in Grönland. Nicht im sommerlich-heiteren Grönland – nein, ich suchte den Kampf mit den dunklen Mächten des Landes – mit Nacht und Eis, Sturm und Kälte.

Ich flog also erstmals im Winter nach Grönland. Und zwar wieder nach Scoresbysund, der einsamsten und am schwersten zugänglichen Siedlung der Ostküste. Und wieder allein.

Die Maschine landete mit Kufen auf dem zugefrorenen Polarmeer vor der Küste.

Bei Schlittenreisen in der Polarnacht und Seehundjagden an der Eiskante fand ich mein seelisches Gleichgewicht wieder. Unter diesen einfachen, guten Menschen lernte ich wieder lachen. Und dabei zeigte sich mir Grönland so, wie man sich bei uns dieses Land immer vorstellt und wie es nur wenige Mitteleuropäer kennen: in Nacht und Eis, Sturm und Kälte.

Ich fuhr unter dem wallenden Schleier des Nordlichts mit dem Hundeschlitten durch die klirrende Winternacht und lag beim flackernden Kerzenschein Kopf bei Fuß mit den Eskimos auf der Fellpritsche.

Vielleicht war es eine Herausforderung.

Ich weiß nur, daß es herrlich ist, der Zivilisation ab und zu ein Schnippchen zu schlagen und sein Leben auf den einfachsten Nenner zu bringen: ein gutes Hundegespann, eine Fellpritsche und brodelndes Seehundfleisch auf dem Kocher.

Landung auf dem zugefrorenen Polarmeer zwischen den Hundegespannen der Eskimos

Die bei der Landung herrschenden 45 Grad Kälte waren kaum zu ertragen

Und wenn ich heute, nach fünf Grönlandexpeditionen, gefragt werde, ob mir Grönland im Sommer oder Winter besser gefällt, so muß ich mit Knud Rasmussen antworten: »Give me winter, give me dogs and you can keep the rest.« – »Gebt mir Winter, gebt mir Hunde, und alles andere könnt ihr behalten!«

DIE ICELAND-AIR WAGT EINEN TOLLEN FLUG

Grönland. Eisinsel der Arktis. Ziel der Wikinger und Walfänger, Forscher und Abenteurer. Geheimnisumwittert, sturmgepeitscht.

Insel der Gegensätze. Mit Radarschirmen, die den Himmel abtasten, und Erdhütten, in denen Menschen hausen; mit dem gigantischen Luftstützpunkt Thule, dessen Errichtung 1,3 Milliarden Dollar verschlang, und mit »Camp Century«, der geheimnisvollen Stadt unter dem Eis, zu deren Versorgung mit Licht, Kraft und Wärme man erstmals in der Arktis einen Atomreaktor installierte, während wir an der Ostküste glücklich waren, wenn wir bei unseren Schlittenreisen in einer der winzigen Fangsthütten einen Kerzenstummel fanden, um die dunkle Winternacht etwas aufzuhellen. Grönland. 25mal größer als Österreich. Größte Insel der Erde, deren Ostküste das ganze Jahr über von einem gewaltigen Packeisgürtel blockiert wird; mit den tief in das Land einschneidenden Fjorden und den schwimmenden Bergen aus Eis, die wie riesige Wolkenkratzer in den düster grauen Himmel ragen.

Von Ostgrönland also will ich berichten, das bisher nur wenige Mitteleuropäer kennen. Nicht von dem »Journalisten-Grönland« der Westküste, wo täglich zweimal eine Düsenmaschine der SAS die Globetrotter aus der ganzen Welt zu kurzem Zwischenaufenthalt ausspeit und man über jedes noch so kleine Stückchen schwimmenden Eises entzückt ausruft: »O, how lovely!« Grönland. Insel der brutalen, erbarmungslosen Natur und der stets fröhlichen, hilfsbereiten, »ganz guten Menschen«, wie Aage Gilberg in seinem Buch »Mit Lisbet nach Thule« die Eskimos nennt. Menschen, die zwar heute noch die Sprache der Eskimos sprechen und in deren Adern Eskimoblut fließt, die sich aber nicht gerne als solche ansprechen lassen.

Das Wort Eskimo kommt aus dem Indianischen und bedeutet soviel wie »Esser von rohem Fleisch«. Doch so haben sie sich selbst nie genannt. In ihrer Sprache waren sie immer die »INUIT«, die Menschen, die richtigen, echten Menschen.

Von ihnen will ich erzählen.

Von meinen Freunden an der Ostküste, die heute noch mit Kajak und Hundeschlitten zur Jagd fahren, um die hungrigen Mäuler ihrer Familie mit Robben- und Seehundfleisch zu stopfen.

Es gibt sie schon noch, jene tapferen Jäger, die Tag für Tag alle Strapazen, Härten und Gefahren des Polarwinters auf sich nehmen, um ihre Sippe zu erhalten. Nur schreibt man nicht viel über sie, da sie nicht im Journalistenbereich der Westküste leben, sondern an der weltabgeschiedenen Seite von Grönland, an der Ostküste, ihr hartes Dasein fristen.

Nicht von den Menschen an der Westküste will ich berichten, die in modernen Wohnblocks leben, in Fisch- oder Krabbenfabriken am Fließband stehen oder nach dänischem Muster im Süden des Landes Schafe züchten oder eine Farm betreiben.

Grönland. Relikt aus der Eiszeit. Liegt nicht heute noch ein geheimnisvoller Schleier darüber? Man weiß bestenfalls, daß die Eismasse inmitten Grönlands eine Mächtigkeit von 3400 Meter hat und daß Grönland die Wetterküche Europas ist.

Sonst aber erfährt man nicht viel darüber.

Dieses Grönland fliege ich jetzt an.

Beruhigend und einschläfernd brummen die Motoren unserer DC 3. Es gibt in der nächsten Zeit nichts zu sehen bei diesem Flug. Island haben wir hinter uns, Grönland vor uns, und unter der Maschine liegt in bedrückender Eintönigkeit das zugefrorene Polarmeer.

Die einzige Abwechslung bieten eingefrorene Eisberge, die durch die tiefstehende Sonne lange Schatten werfen. Unsere Maschine ist die erste, die seit der langen Dunkelheit der Polarnacht die kleine Eskimosiedlung Scoresbysund auf 71 Grad nördlicher Breite an der Ostküste Grönlands anfliegt.

Hier gibt es weder eine vorbereitete Rollbahn noch eine Flugsicherung, kein Radar und keinen Kontrollturm – hier ist nur die unberührte Natur. Das zugefrorene Polarmeer mit seinen Eisbergen, mehr oder weniger großen Eistrümmern und dem sturmverblasenen Schnee ist das Gelände, mit dem der Pilot unserer DC 3 bei der Landung fertig werden muß. Eines aber haben wir, und das wiegt vieles auf und gibt Vertrauen: eine Maschine der Iceland-Air mit einer isländischen Besatzung. Sicherlich sind die Isländer eine unerhört flugbewußte Nation. Es mag auch damit zusammenhängen, daß Island in der technischen Entwicklung das »Eisenbahnzeitalter« übersprungen hat und vom Pony gleich auf das Flugzeug umgestiegen ist.

Mit diesen Wikingern der Luft fliege ich jetzt nach Grönland. Übrigens ist es nicht mein erster Flug mit einer isländischen Maschine. 1957 war es, als uns eine isländische Besatzung mit einer Catalina-Maschine unter atemberaubenden Flugmanövern aus 3000 Meter Höhe im schmalen Alpefjord absetzte. Heute noch denke ich mit Herzklopfen an die Sturzflüge, das Wiederhochziehen entlang steiler Bergflanken und die engen Kurven dieses Landungsmanövers.

Dagegen war die Landung 1959 auf der Staubpiste von Kulusuk, einer der Ostküste vorgelagerten Insel bei Angmagssalik, ein Kinderspiel.

Heute geht es mir wie bei meinem ersten Grönlandflug: es ist eine ungeheure Spannung in mir. Damals war sie bedingt durch den Reiz des Neuen, Unbekannten, dem wir entgegenflogen. Heute kommt noch die bange Frage meiner Ausrüstung dazu. Werde ich damit dem arktischen Winter standhalten können?

Ich lehne mich im Sitz zurück und erlebe in aller Deutlichkeit nochmals die ganze Hektik der letzten zwei Wochen. Ich hatte gerade 14 Tage Zeit, mich für diesen Winteraufenthalt vorzubereiten und alles zu beschaffen, von der Angora-Unterwäsche bis zur kompletten Daunenkleidung, von den Filmen bis zur Kochausrüstung. Vor allem mußte ich meine Kamera bis minus 50 Grad winterfest machen lassen. Und das alles als »Freizeitgestaltung« neben dem Beruf.

Bedingt durch die Kürze der Vorbereitungszeit, hatte kaum jemand eine Ahnung von meinem Vorhaben. Also rief ich am Abend vor meiner Abreise noch einige Freunde an:

»Hallo – Servus, Hans! Du, ich will dir nur kurz sagen, daß ich morgen nach Grönland fliege.«

»Wohin fliegst du?«

»Nach Grönland!«

»Jetzt im Winter?«

»Ja!«

»Bist du übergeschnappt?«

»Nein!«

»Mit wem fliegst denn?«

»Allein!«

»Also doch übergeschnappt!« dringt es leise durch die zugehaltene Sprechmuschel.

»Hallo – ist dort die Kegelrunde? Mit mir könnt ihr die nächsten zwei Monate nicht rechnen, ich fliege morgen nach Grönland.«

»Schade – dann gute Reise!«

»Danke!«

»Übrigens – sagtest du Grönland?«

»Ja.«

»Was machst denn dort?«

»Hundeschlittenfahren.«

»Schlittenfahren? Das kannst doch bei uns auch! Fährst nicht auf Skiurlaub? Schon zu gefährlich?« Dann setzt er leise, gleichsam zu sich selbst, hinzu: »Jetzt wird der Kerl auch schon ängstlich!«

Während des Packens klingelt das Telefon:

»Servus, Hias! Du, meine Frau und ich laden dich für Sonntag zum Essen ein. Du kommst doch?«

»Danke, nein – fliege morgen nach Grönland!«

»Jetzt in der Polarnacht? Ah, verstehe – die berühmte Gastfreundschaft der Eskimos – die Kirschen aus Nachbars Garten – du Genießer!«

Dabei schnalzt er mit der Zunge.

»Was fällt dir ein – ich fahre zur Jagd nach Grönland!«

»Ach, mach mir nichts vor – kenne doch deine Aufnahmen – exotische Frauen, hübsche Mädchen. Erzähl mir nachher, wie es war. Mach's gut! Viel Spaß!« Dann wird der Hörer aufgelegt.

Ich widme mich wieder meinem Gepäck.

Es ist eine fast unlösbare Aufgabe, den ganzen Berg an Ausrüstung und Bekleidung auf 20 Kilo Fluggepäck zu reduzieren. Meine Fotoausrüstung wiegt schon ein Viertel davon. Und mit dem verbleibenden Rest von 15 Kilo soll ich zwei Monate auf Schlittenreisen in Grönland unterwegs sein? Dabei habe ich keine Ahnung, was mich wirklich erwartet. Die wohlgemeinten Ratschläge meiner Freunde, ich sollte doch diesen Unsinn lassen und zu Hause bleiben, waren auch nicht dazu angetan, mir Mut zu machen. Aber ich habe es mir in den Kopf gesetzt, einen Winter in Grönland zu erleben, und dieser Gedanke läßt mich nicht mehr los; ich bin so besessen von ihm wie als Junge nach einem Besuch von Dr. Franks Film »DIE WEISSE HÖLLE VOM PIZ-PALÜ« von diesem Berg. Der Film und der Berg hatten mich damals so in der Gewalt, daß ich heimging, meinen Rucksack packte und als 15jähriger Lausbub mit dem Fahrrad nach Pontresina fuhr, um ganz allein die drei Gipfel des Piz-Palü zu überschreiten. Lediglich beim Abstieg durch den Bruch des Morteratschgletschers hatte mich eine Schweizer Bergsteigergruppe ans Seil genommen. Ich weiß, es ist nur ein kleiner Schritt vom Wagnis zum Leichtsinn. Damals hatte ich die Grenze nicht erkannt. Deshalb Dank der Schweizer Seilschaft!

Heute allerdings glaube ich, die Grenze zu kennen, und habe mir vorgenommen, sie nicht zu überschreiten.

Wie es mir gelang, den ganzen Haufen an Ausrüstung und Bekleidung auf einen Rucksack und einen Seesack zu reduzieren, weiß ich heute nicht mehr. Jedenfalls stehe ich mit diesen beiden Gepäckstücken zwei Tage später im überheizten Flughafengebäude von Kopenhagen. Wie immer bei meinen Grönlandflügen trage ich meine gesamte Unter- und Oberbekleidung am Körper.

Die Maschine nach Reykjavik hat wetterbedingt einige Stunden Verspätung. Während dieser Wartezeit wird der Flughafen Kastrup für mich zur Sauna, auf deren oberster Sprosse ich sitze und schwitze – schwitze – – – Am Anfang waren es Tropfen, seit Stunden schon ist es ein Bächlein, das mir über Gesicht und Körper läuft. Ich habe einmal gehört, der Mensch bestehe zu 90% aus Wasser. Damals konnte ich es nicht glauben. Heute weiß ich, daß es stimmen muß. Wo sonst wäre an diesem Nachmittag all der Schweiß hergekommen?

Ich rinne schon seit Stunden wie ein leckgewordenes Wasserschaff.

Endlich wird unsere Maschine gemeldet.

Um 15 Uhr hätten wir starten sollen, jetzt ist es 19 Uhr. Ich schleppe mich zum Eingang, zeige mein Ticket. »Passport please!«

Ja natürlich, meinen Reisepaß.

Ich greife in die Brieftasche: Leer.

In meine beiden Brusttaschen: Ebenfalls leer.

In die rückwärtigen Hosentaschen: Feucht und leer.

Ich durchwühle mein Handgepäck, meine Fototasche, sämtliche Taschen meiner Kleidung: Papiere, Prospekte, Aufzeichnungen; Briefe, Adressen, Rechnungen – alles mögliche befördere ich ans Licht – nur keinen Reisepaß.

Ich blockiere allmählich den Eingang.

Hinter mir staut sich eine Menschenschlange.

Ungeduldiges Murren in verschiedenen Sprachen und Dialekten. Ich trete zur Seite. Beginne die Sucherei aufs neue. Diesmal in umgekehrter Reihenfolge.

Zum x-ten Male schon drehe ich meine Taschen um. Ich will es einfach nicht wahrhaben, daß ich ohne Reisepaß dastehe.

Endlich wird es mir zur Gewißheit: in den Taschen und im Handgepäck ist der Reisepaß nicht. Folglich muß er im großen Gepäck sein. Vielleicht im Rucksack. Stück um Stück fliegt heraus, türmt sich neben dem Eingang zu einem wirren Haufen. Die wasserstoffblonde Lady aus Hollywood und die dunkelhäutige Prinzessin im Sari mögen sich gleichermaßen über den Rucksackinhalt eines Grönlandfahrers gewundert haben.

Was da alles zum Vorschein kam – nur kein Reisepaß.

Ich lasse den ganzen Haufen liegen und stürze zum nächsten Telefon. Rufe meine Bekannten an.

Das Telefon läutet – läutet – läutet – –.

Es hebt niemand ab. Auch das noch.

Ich sehe meine Grönlandfahrt in Kopenhagen enden. Morgen soll die Chartermaschine in Reykjavik starten. Ratlos stehe ich da und halte den Hörer in der Hand. Plötzlich ein Knacken und eine Stimme aus dem Telefon:

»Hallo – Stelzer.«

»Wilfried, hier spricht Hias, ich stehe am Flughafen ohne Reisepaß. Bitte schau in meinem Anzug nach, ob er drin ist!«

Bange Minuten.

»Tut mir leid, Hias – im Anzug ist kein Reisepaß!«

»Nein? Dann muß er im Koffer sein. Natürlich – ich erinnere mich –, im Koffer ist er bestimmt!«

Die Minuten werden zur Ewigkeit.

Die Fluggäste wundern sich über den Haufen an Ausrüstungsgegenständen neben dem Eingang. Die einen schütteln den Kopf, die anderen lächeln mitleidig.

»Ich muß dich enttäuschen, Hias – im Koffer ist dein Paß auch nicht!«

»Ja, Himmelsakra! Irgendwo muß er doch sein! Wie wäre ich sonst nach Dänemark gekommen? Wilfried, vielleicht ist er zwischen den Büchern und Zeitschriften im Gästezimmer?«

Unaufhaltsam wie die Zeit rinnt mir der Schweiß über den Körper. Zur Hitze kommt die Aufregung.

Endlich wieder die Stimme aus dem Hörer: »Ich habe ihn gefunden! Ich komme sofort mit dem Wagen hinaus, warte beim Haupteingang!«

Werden wir den Wettlauf mit der Zeit gewinnen?

Ich stopfe Rucksack und Seesack wieder voll, gebe mit Optimismus mein Gepäck zur Waage und warte auf Wilfried.

Noch tröpfeln einige Nachzügler durch das Gate hinaus zur Maschine, die startklar auf der Piste steht. Ich weiß, daß Wilfried mit seinem schnellen Wagen auch ein Strafmandat riskieren würde, um die Maschine noch zu erreichen. Wo bleibt er bloß so lange? Sind alle Ampeln auf Rot?

Jeden Moment kann die Maschine starten – und ich stehe da – ohne Gepäck, ohne Reisepaß.

Endlich!

Ein roter Wagen fährt vor, Bremsen quietschen, Wilfried springt heraus und schwingt wie ein Triumphator meinen Paß.

Mit einem bereitgestellten Tretroller rase ich wie ein Irrer den langen Korridor zur Boeing 727 hinaus, die kurze Zeit später zum Start rollt.

Während die Lichter von Kopenhagen in der Ferne verschwinden und wir hinausfliegen auf die dunkle Nordsee, habe ich genügend Zeit, um darüber nachzudenken, welch teuflische Einrichtung doch so ein Reisepaß ist und in welche Konfliktsituationen mich der meinige schon gebracht hat.

Das erste Mal als 14jährigen Lausbub.

Kaum der Schule entronnen, hatte ich schon Schwierigkeiten mit den Grenzbeamten. (Oder die Beamten mit mir?) Ich hatte es mir in den Kopf gesetzt, eine Schweizreise zu machen, und stand am Grenzbahnhof Buchs.

Ohne Reisepaß und Geld, versteht sich.

Aber mit um so größerer Unternehmungslust und der Unbeschwertheit der Jugend.

Um über die Grenze zu kommen, erfand ich den Beamten gegenüber eine maßlos traurige und rührselige Geschichte. Sie war so ergreifend, daß ich beinahe selbst geheult hätte: lag doch in Rapperswil eine völlig vereinsamte, aber herzensgute und schwerkranke Tante, die vor ihrem Abschied aus dieser Welt nur den einzigen Wunsch hatte, mich, ihren liebsten Neffen, noch einmal zu sehen und in ihre Arme zu schließen. War es Mitleid mit der Tante oder mein treuherziger Blick? Ich weiß es nicht. Jedenfalls hielt ich nach längerer Verhandlung mit den Beamten eine »Ausnahmebewilligung zur einmaligen Einreise in die Schweiz« in Händen. Offensichtlich hatte ich das Thema richtig gewählt.

Oder 1940. Damals wollte ich in privater Mission als Bergführer nach Norwegen. Ich fuhr an einem Vormittag von Graz heim nach Mürzzuschlag, packte meine Koffer und reiste nachmittags weiter nach Wien. Auf dem Bahnhof in Wien versorgte ich mich gerade mit Lesestoff für die Nacht, da ertönte eine Stimme aus dem Bahnhofslautsprecher: »Herr Matthias Koglbauer, vom Schlafwagenzug nach Berlin, möge sofort in die Fahrdienstleitung kommen.«

Ich befürchtete das Schlimmste.

Was war geschehen?

»Sie haben Ihren Reisepaß zu Hause vergessen. Wohin soll man Ihnen den Paß senden?«

»Berlin, Hotel Excelsior. Vielen Dank!«

Der vergessene Paß hat mich drei Tage Wartezeit in Berlin gekostet.

Ganz schlimm aber war es 1959, als ich von einer Grönlandexpedition nach Island zurückkam. Da mein Paß abgelaufen und daher ungültig war, wollte mich die Paßbehörde in Reykjavik nicht von Bord lassen. Nun mußte unser Schiff wegen einer Reparatur ins Trockendock, und dort durfte niemand an Bord bleiben. Ich mußte vom Schiff herunter – durfte aber nicht an Land. Was hätte ich machen sollen? Mich in Rauch auflösen?

Es war eine verfluchte Situation!

Zugegeben, mein Paß war ungültig. Aber war er nicht vor einigen Wochen noch für alle Staaten der Welt gültig gewesen?

Ich wußte es natürlich bereits in Graz vor meiner Abreise, daß er während meines Aufenthaltes in Grönland ablaufen würde. Aber ich fand einfach keine Zeit, ihn verlängern zu lassen. Ich wollte die Situation an mich herankommen lassen. Und nun war sie da. Eine tragikomische Situation!

Ich glaube allen Ernstes, daß ich damals wieder in Grönland gelandet wäre, hätten die Isländer nur ein Schiff aufgetrieben, mit dem sie mich dorthin hätten abschieben können.

In der Erinnerung an diese kleinen Episoden mag ich eingeschlafen sein.

Zwischenlandung in Glasgow.

Die Maschine wird aufgetankt, die Fluggäste tanken sich ebenfalls voll, und zwar mit schottischem Whisky.

Jemand klopft mir auf die Schulter: »Hallo, old boy, how are you?«

Ich drehe mich um und blicke in ein bekanntes Gesicht, das von einem roten Bart eingerahmt wird. Der spricht für Grönland. Noch aber weiß ich nicht, wo ich ihm schon begegnet bin. Da hilft der Träger dieses rostroten Bartes mir weiter: »Remember Angmagssalik?«

»Hallo, Niels! How are you?« sage ich und lande ein paar freundschaftliche Boxer. Bei ihm hatten wir 1959 manch gemütlichen Abend verbracht. Es sind schon Prachtkerle, diese Dänen, die sich Grönland verschrieben haben.

Wir plaudern, frischen alte Erinnerungen auf und kippen einen Whisky nach dem andern. Dabei erfahre ich, daß Niels jetzt nicht mehr in Angmagssalik, sondern drüben an der Westküste in Jakobshavn ist, Heimaturlaub hat und auf dem Weg nach Dänemark ist.

Dann wechsle ich vom Buffet hinüber zum Souvenir-Shop, um einige Karten zu kaufen. Gewohnheitsgemäß schreibe ich zuerst die Adressen. Bevor ich jedoch zum Text komme, klopft mir wieder jemand auf die Schulter:

»Wont you go to Reykjavik? The plane is starting already.«

Um Himmels willen, mein Flugzeug startet schon!

Ich werfe die Karten hin, das Geld für die Marken dazu, stürme den Korridor entlang, renne übers Rollfeld, schnaufe die Gangway hinauf, dann schließt die wartende Stewardeß hinter mir die Tür und wir starten zur letzten Etappe nach Reykjavik.

Während ich mich erschöpft auf meinen Sitz niederlasse und darüber nachdenke, was die Fußballfans in der Heimat wohl zu den Blanko-Ansichtskarten vom berühmten Glasgower Stadion sagen werden, rinnt mir der Schweiß in Strömen über den Körper. Ich hatte mir vorgenommen, bei diesem Flug keine schnellen Bewegungen zu machen, statt dessen mußte ich rennen wie ein Olympionike, um meine Maschine zu erreichen.

Von der Angora-Unterwäsche bis zum Arktispullover ist alles klitschnaß.

Ja, der Mensch besteht wirklich fast nur aus Wasser!

Keflavik, der internationale Flughafen von Reykjavik und gleichzeitig amerikanische Flugbasis, ist tief verschneit. Ein eisiger Wind fegt über die Landepisten.

Wir werden mit bereitgestellten Autobussen die 40 Kilometer über Land nach Reykjavik gebracht. Über die blankgefegte Straße ziehen hohe Schneewehen, die der Autobus in voller Fahrt durchstößt, und das Land ringsumher ist eine trostlose schwarze Lavawüste, durchzogen von weißen Schneefahnen. Der Gedanke, mit dem Bus in einer dieser quer über die Straße ziehenden Schneewächten steckenzubleiben oder in vollem Tempo von der glatten, vereisten Fahrbahn gegen die dunklen Lavabrokken am Straßenrand geschleudert zu werden, ist nicht sonderlich erfreulich.

Als ich mich um 3 Uhr morgens im Hotel SAGA in Reykjavik zu Bett lege, ist die ganze Stadt in einen tobenden Schneesturm eingehüllt.

Vier Stunden später schaue ich zum Fenster hinaus und traue meinen Augen nicht: es gießt in Strömen, vom Schnee keine Spur mehr. Schwere dunkle Nebelschwaden ziehen vom Meer herein und breiten sich über das Land und die Stadt. Bei diesen Wetterverhältnissen ist für die nächsten Stunden mit einem Start nach Grönland bestimmt nicht zu rechnen.

Also nochmals in die Federn und weiterschlafen!

Müde und unausgeschlafen, wie ich bin, freue ich mich über das schlechte Wetter. Ich danke den Nebelschwaden und Regengüssen, daß sie mir noch einen Tag in der Zivilisation und im warmen Hotelzimmer gewähren!

Das Regenwetter hält den ganzen Tag an. Da ich kein Ölzeug habe, kann ich nicht vor das Haus. Was mir aber nichts ausmacht. Ich weiß, daß die Härten und Entbehrungen des arktischen Winters noch früh genug auf mich zukommen werden. Bewußt genieße ich heute noch die Annehmlichkeiten und den Komfort eines gepflegten Hotels.

Meinem Zimmer gegenüber ist eine Schule, und trotz strömenden Regens stürmen zu jeder Pause einige hundert Kinder in den Hof und toben sich aus. Um dem trostlos grauen Tag etwas Farbe zu geben, tragen sie alle Regenbekleidung in den grellsten Schockfarben: gelb und orange, rot und blau, wahllos verteilt auf Hosen, Jacken und Südwester. Wenn die Kinder den Bällen nachjagen, raufen und herumtollen, gleicht der Schulhof einer lebenden Palette.

Das ist der isländische Winter, wie ich ihn mir immer vorgestellt habe. Bedingt durch die Nähe Grönlands und die Insellage, wechselt das Wetter oftmals binnen Stunden von einem Extrem ins andere.

Einen Tag später.

Der Regen hat aufgehört, dafür braust ein Sturm über das Land, der den gesamten Flugverkehr zum Erliegen bringt.

Beim Frühstück auf der höchsten Terrasse unseres Turmhotels hat man den Eindruck, als ob der Speisesaal unter dem wütenden Anprall der Sturmböen schwanken würde.

Unter diesen Umständen ist an einen Start unserer Maschine auch heute nicht zu denken. Für diesen Flug, der ohnehin schon genug Risiken in sich birgt, brauchen wir absolut verläßliches Flugwetter.

Ich fahre nach dem Frühstück mit einem Taxi hinunter zum Hafen, um wieder einmal richtige Seeluft zu atmen. Ich mag es gerne, dieses geschäftige Treiben, Kommen und Gehen, Laden und Entladen in den großen Überseehäfen; ich liebe auch den Geruch von Teer, Tran und nassem Holz, der von den kleinen Fischkuttern, Trawlern und Robbenschlägern ausströmt; meine besondere Sympathie aber gehört seit jeher den Menschen auf diesen Schiffen, mit denen ich stundenlang plaudern kann.

Ruhelos klatscht die hochgehende See gegen die Kaimauern, hochauf spritzt der Gischt und wird vom Sturm als feiner Sprühregen über den Hafen geweht. Ich mache einige Aufnahmen und wende mich dann wieder stadtwärts. Mit dem Geschmack von Salz auf den Lippen bummle ich durch das Geschäftsviertel und schaue mir die großstädtisch wirkenden Schaufenster an.

Aus einem Hauseingang treten zwei Männer auf mich zu: »Amerikansk?« fragen sie, und dabei strömt mir eine Wolke Schnaps entgegen.

»Ikke Amerikansk«, sage ich, »Austria, Östrige«, verbessere ich mich rasch. Ein Österreicher im Winter in Island, das haben sie offensichtlich nicht erwartet. Sie nehmen mich in ihre Mitte, und im nächsten Moment zieht einer aus der Tiefe seiner Manteltasche eine Flasche, schraubt den Verschluß ab und hält sie mir unter die Nase.

»Skol!« sage ich und nehme einen kräftigen Schluck. Dabei verschlägt es mir fast den Atem. Donnerwetter, ist dieser Teufelsfusel scharf und ekelhaft. Aber ich lasse mir nichts anmerken. Ich will die Leute nicht beleidigen. Natürlich bleibt es nicht bei dem einen Schluck. Immer wieder macht die Flasche die Runde. Obgleich die beiden nur ein paar Brocken Englisch sprechen, verstehen wir uns so gut, daß wir uns nach wenigen Minuten schon umarmen und dadurch den ganzen Gehsteig blockieren, so daß die Passanten lächelnd auf die Straße ausweichen müssen. Auf diese Weise trinken wir am hellen Vormittag auf offener Straße zu dritt eine Flasche Schnaps leer. Die ganze Begegnung dauerte kaum eine Viertelstunde. Wir haben uns vorher nie gesehen und werden uns auch niemals wiedersehen. Wenn die beiden auch unter Alkoholeinfluß standen, so hatten sie doch etwas so Sympathisches an sich, daß ich ihnen nicht böse sein konnte – im Gegenteil, die Begegnung machte mir Spaß.

Am Nachmittag besuche ich die Universität, um mich näher über eine

Meldung zu informieren, die kurz vor meiner Abreise aus Österreich durch die Presse ging. Demnach soll heuer in der Grönlandsee, nördlich von Island, ungewöhnlich viel Eis sein.

In der Eingangshalle stehen Gruppen junger Menschen beisammen und diskutieren. Sie machen alle einen ordentlichen und gepflegten Eindruck und sprechen isländisch. Ich schlendere einen langen Korridor entlang und hoffe, daß mir jemand begegnet, den ich fragen kann. Da tritt aus einer Tür ein Mann, Mitte Fünfzig etwa, mit Mantel, Hut und Aktentasche, er will offensichtlich die Universität verlassen.

Ich spreche ihn an, trage ihm mein Anliegen vor und erwarte bestenfalls, daß er mir im Stehen einige Informationen gibt. Statt dessen führt er mich in sein Büro, legt Hut und Mantel ab und bietet mir ein Lederfauteuil an, in dem ich fast versinke.

Wie sich bald herausstellt, sitze ich dem Rektor der Universität von Reykjavik gegenüber, von ihm erfahre ich interessante Tatsachen über die derzeitigen Eisverhältnisse in der Grönlandsee.

Es gab immer schon Winter, in denen das Treibeis bis an die Küsten Islands driftete. Mit den Eisschollen kamen auch vereinzelt Eisbären an Land. Isländische Quellen berichten immer wieder von abenteuerlichen Kämpfen mit Eisbären, die unvermittelt auftauchten und Mensch und Tier überfielen.

Eine so ungewöhnlich starke Treibeisbedeckung von $^{4}/_{10}$ bis $^{6}/_{10}$ aber, wie sie heuer an der Nordküste Islands auftritt, war seit 1890 nicht mehr registriert worden. Die Gefahr, daß einige Außenposten auf den Schären durch das Treibeis bis Mai oder Juni von der Hauptinsel abgeschnitten werden, ist so groß, daß man diese kleinen Siedlungen jetzt noch schnell mit Lebensmitteln, Medikamenten und Heizöl versorgt.

Mit dieser außergewöhnlichen Eisbedeckung der Grönlandsee haben sich sogar Meteorologen, Glaziologen und Ozeanografen aus Island und den USA befaßt.

Über diese zugefrorene Grönlandsee, deren riesige Treibeisfelder wie die Fangarme eines Polypen die Nordküste Islands umschließen, fliege ich jetzt gegen Norden. Für mich ist es ein Flug ins Ungewisse.

Was werde ich heute abend und die weiteren zwei Monate essen, wo werde ich schlafen und mich ausruhen, wenn ich müde bin, und überhaupt – wie wird ein Winter in Grönland durchzustehen sein? Welche Temperaturen werden mich erwarten, wird meine Ausrüstung zweckentsprechend sein und werde ich selbst allen Anforderungen eines Polarwinters standhalten können? Ja, werde ich zu dieser Jahreszeit überhaupt erwünscht sein in der Siedlung?

Was, wenn durch eine schlechte Jagd das Fleisch knapp wird? Dann ist durch mich ein Esser mehr da. Allerdings, ich habe gute Freunde dort: Handelschef Nielsen, Lehrer Hansen, Ingenieur Nielsen und schließlich den Postmeister Christiansen, der etwas Deutsch spricht.

Mit ihnen allen habe ich mich vor zwei Jahren bei meinem ersten Besuch in Scoresbysund gut angefreundet.

Sie boten mir damals in herzlicher Weise ihre Freundschaft an. Einer von ihnen wird mich also wohl aufnehmen. Trotzdem bleiben tausend Fragen, tausend Zweifel. Und vor ihnen verblaßt sogar die Unsicherheit der bevorstehenden Landung.

Jetzt zieht unsere Maschine langsam hoch.

Eine feine Küstenlinie schiebt sich über den Horizont, Berge durchbrechen das eintönige Weiß des Polarmeeres. Ich greife zum Glas: die Form und Struktur dieser Berge ist mir bekannt. Ohne Zweifel das südliche Küstengebirge des Scoresbysund. Auch die Zeit stimmt. Wir sind schon fast drei Stunden in der Luft. Immer höher wachsen die Berge über den Horizont, immer näher kommt die Küste. Schon blicke ich über das Gebirge hinweg, hinein in die Unendlichkeit des Inlandeises. Wenig später gleiten knapp unter der Maschine blankgefegte Felsgrate mit riesigen Wächtenbalkonen dahin, und zwischen den einzelnen Gebirgszügen liegen tiefeingeschnittene, verschneite Täler in bedrückender Trostlosigkeit.

Vergeblich sucht der Blick nach Spuren menschlicher Anwesenheit. Man hat den Eindruck, daß hier nicht einmal tierisches Leben existieren kann. Und tatsächlich ist das südliche Küstengebirge des Scoresbysund selbst dem anspruchslosen Moschus zu unwirtlich.

Kapitän Bjarnason fliegt eine Kurve.

Durch die Bewegung der Maschine sind die vier anderen Passagiere wach geworden. Schlaftrunken starren sie zum Fenster hinaus. Beim

Anblick der verschneiten Berge und des zugefrorenen Scoresbysund aber leuchten ihre Augen.

Grönland – ihre Heimat!

Mein Vordermann dreht sich nach mir um. Unsere Blicke treffen sich. Ich spüre, er hat den Wunsch, irgend etwas zu sagen.

»Dayli – Dayli«, zärtlich, fast liebevoll kommen die Worte aus dem Mund des Alten. Dabei zeigt er hinunter auf das verschneite Land und lächelt glücklich.

»Dayli – Dayli«, bestätige ich ihm und nicke mit dem Kopf. Ich weiß heute noch nicht, was »Dayli – Dayli« wirklich heißt und welcher Sprache es entstammt. Ich weiß nur, daß er damit sagen wollte: »Sieh – ist Grönland nicht ein herrliches Land? Und der Scoresbysund nicht der schönste Fleck auf Erden?«

Fast fühle ich mich beschämt von soviel Heimatliebe.

Jetzt schwebt die DC 3 in den weiten Scoresbysund ein.

Dort, wo im Sommer blendend weiße Eisberge in den dunklen Fluten des Fjordes schwimmen, breitet sich jetzt eine eintönig weiße Fläche mit kleinen schwarzen Punkten aus. Und auf diese Punkte, die aus unserer Höhe eher Ameisen gleichen, steuert die Maschine zu. Wir schnallen uns fest.

Nach wenigen Minuten aber sind es keine Ameisen mehr, sondern ist es ein wirres Durcheinander von Menschen, Hunden und Schlitten. Wir fliegen einige Runden zur Rekognoszierung. Ich greife nach meinem Sicherheitsgurt. Schließlich wird es keine der üblichen Landungen werden. Wird sie überhaupt gelingen? Die nächsten Minuten werden die Entscheidung bringen. Dabei erinnere ich mich einer JU 52, die im norwegischen Hochgebirge auf einem zugefrorenen See mit Ski landete und dabei knapp einem Kopfstand entkam.

Kapitän Bjarnason drückt die Maschine.

Wir setzen zur Landung an. Nein – noch nicht.

Er gibt Gas und zieht die DC 3 wieder hoch.

Irgend etwas hat in der Rechnung nicht gestimmt.

Wir brausen knapp über die Köpfe der Menschen hinweg.

Schneestaub hüllt sie ein, Hundegespanne springen auf, stieben auseinander, zerren an den Leinen.

Heimfahrt von der Rathbone-Insel

Der Autor nach einer Schlittenreise

Seehundspeck für den kleinen Eisbären

Eine weite Kurve, dann neuerlicher Anflug.

Die Spannung steigt.

Ich ziehe meinen Sicherheitsgurt fester. Jetzt drosselt der Pilot die Motoren. Wir sinken.

Schon kann ich die Schneestruktur erkennen, da taucht die Maschine in das tiefe, windverblasene Weiß ein, das uns im nächsten Moment wie eine Rauchwolke einhüllt. Die Maschine rollt aus.

War das alles?

Und wegen dieser Landung hatte ich Herzklopfen?

Kapitän Bjarnason hat die viele Tonnen schwere Maschine mit der Behutsamkeit in den unvorbereiteten Schnee gesetzt, wie eine zärtliche Mutter ihr Erstgeborenes in ein Federbett legt.

Es war eine Landung, bei der selbst ein auf die Spitze gestelltes rohes Ei in der Maschine nicht umgefallen wäre.

Die Tür wird entriegelt und geöffnet.

Hundegeheul und Stimmengewirr dringen in die Maschine. Ich springe hinaus und stehe zum fünften Mal in Grönland. Doch so habe ich mir das Wiedersehen nicht vorgestellt.

Wie mit tausend Messern springt mich die Kälte an. Bevor ich es noch richtig erfasse, sind die Finger weiß. Ich werfe einen Blick auf meine Füße: stehe ich barfuß im Schnee? Habe ich vergessen, meine Schuhe anzuziehen?

Ich schlage mit den Händen und führe einen richtigen Indianertanz auf.

Gepäckstücke und Postsäcke fliegen aus der Maschine. Mein orangefarbener Expeditionsrucksack ist durch seine Schockfarbe leicht zu finden. In ihm sind meine gewalkten Schafwollfäustlinge aus Schladming, die jetzt schon das fünfte Mal mit dabei sind. Doch bevor ich den Rucksack noch offen habe, sind meine Finger wieder weiß. Also schlagen. Aufwärmen. In die Hosentaschen damit. Ohne Unterbrechung hüpfe ich wie einer, dem man Juckpulver ins Kreuz gestreut hat. In den Gesichtern der Eskimos sehe ich die ersten weißen Flecken. Ich mache sie darauf aufmerksam. Die erfrorenen Gesichter dieser Männer sind für mich ein Alarmzeichen und lassen mich den Ernst der Situation klar erkennen: hier, bei diesen Temperaturen, kann die kleinste Unachtsamkeit ernste

Folgen haben. Schließlich bin ich nicht nach Grönland gekommen, um körperlichen Schaden zu erleiden.

Wie werde ich die nächsten Monate überstehen, wenn die ersten Minuten schon so grausam sind? Habe ich es überhaupt nötig, hier zu bleiben? Es kümmert sich doch niemand um mich. Alle sind beschäftigt und tun so, als ob ich gar nicht da wäre. Ich habe zwar nicht erwartet, daß man mich mit Musik und großem Bahnhof empfängt, aber immerhin – bin ich nicht schon das zweite Mal in Scoresbysund? Und jetzt tun alle, als ob sie mich noch nie gesehen hätten. Merken sie denn nicht, welch großer Augenblick es für mich ist, erstmals im Winter in Grönland zu sein? Wie lange habe ich mich auf diesen Augenblick gefreut. Jetzt ist er da. Aus der Maschine fliegen immer noch Postsäcke, die von den Grönländern auf die Schlitten verladen werden. Ich stehe da und kann mich der Kälte nicht erwehren. Ich spüre, wie meine Widerstandskraft langsam erlahmt. Nein – ich darf nicht nachgeben. Immer wieder wirble ich meine Arme wie Windmühlenflügel herum, hüpfe wie ein Verrückter und reibe mir Wangen und Nase. Zwischendurch wühle ich mich zu meinen Fäustlingen durch. Jetzt ist es besser. Doch meine Füße! Sie machen mir ernste Sorgen. Ich spüre die Zehen nicht mehr. Es wird bedrohlich.

Inzwischen ist eine Stunde vergangen. Die DC 3 ist entladen und zum Rückflug bereit. In drei Stunden wird sie in Reykjavik sein. In drei Stunden könnte auch ich wieder in der Zivilisation sein. Niemand würde etwas merken, wenn ich jetzt mein Gepäck wieder in die Maschine werfen und selbst nachfolgen würde. Dann wäre es eben ein kleines Abenteuer gewesen. Ein Vormittagsausflug nach Grönland. Der Bordmechaniker zieht die Treppe ein, grüßt lässig mit der Hand und schließt die Tür.

»Das ist der letzte Moment, nütze ihn, sei nicht dumm. Wenn du die Maschine fliegen läßt, bist du zwei Monate dem arktischen Winter ausgeliefert; mach schnell – lauf – lauf, sonst ist es zu spät. Vielleicht ist es die letzte Chance, wieder gesund und heil heimzukommen.«

Welch teuflischer Kobold läßt mir bloß solche Gedanken in den Sinn kommen? Müßte ich dann nicht alle Achtung vor mir selbst verlieren?

Die Motoren heulen auf, die Maschine rollt los, hebt ab, zieht eine Kurve und entschwindet über dem Küstengebirge des Scoresbysund nach Süden.

Jetzt, nachdem die Maschine fort ist, kümmert man sich auch um mich. Ich werde einem Hundeschlitten zugeteilt. Bevor ich mein Gepäck auf dem Schlitten verlade, strecke ich dem Grönländer meine Hand entgegen und schaue ihm ins vermummte Gesicht.

Ich kenne ihn; weiß aber nicht woher.

»Entalik?« frage ich auf gut Glück.

»I I, Peter Brönlund«, sagt er und lächelt.

Peter Brönlund, der Skipper des Motorbootes »Entalik«, mit dem ich vor zwei Jahren eine ganze Woche im innersten Scoresbysund war.

Während er mein Gepäck auf den Schlitten verschnürt, versuche ich erstmals, mich zu orientieren. Aus dem Kältenebel, der aufgekommen ist und über dem Fjord lagert, ragen in einigen Kilometern Entfernung ein paar Hütten. Das kann doch nicht die Siedlung Scoresbysund sein? Was aber ist es sonst? Am Ende gar Kap Hope? Du lieber Himmel – wenn das der Fall ist, steht uns noch eine lange Schlittenreise bevor. Ob ich sie durchstehen werde? Bei dieser Temperatur und dem rasiermesserscharfen Wind?

Das Gepäck ist auf dem Schlitten verschnürt, Brönlund gibt mir das Zeichen zum Aufsitzen. Er ordnet noch die Leinen der Hunde, dann geht's los!

Nach und nach verlassen auch die anderen Gespanne den Landungsplatz.

Von meinen Zehen spüre ich schon längst nichts mehr. Bei dem Gedanken, daß ich sie verlieren könnte, packt mich panikartige Angst. Und in dieser Angst mache ich das Dümmste, was ich tun kann: ich ziehe während der Fahrt den linken Schuh aus, streife die Socken ab – die Zehen sind weiß!

Höchste Alarmstufe also. Ich versuche sie zu kneten. Doch bei dieser Temperatur und dem Fahrtwind barfuß am Hundeschlitten – das ist heller Wahnsinn! Also sofort wieder Socken drüber, hinein in den Schuh und um die letzte Wärme zu speichern, ziehe ich die Daunenhose nach unten über die Schuhe.

In den folgenden drei Stunden schlage ich ohne Unterbrechung meine Füße gegeneinander, versuche ich ständig, die Zehen zu bewegen, und kämpfe buchstäblich um jedes Grad Wärme und jeden Tropfen Blut in meinen Zehen. Während der ganzen Fahrt weiß ich nicht, ob ich den Kampf gegen die Kälte gewinnen werde. Wie lange doch drei Stunden bei 45 Grad minus auf dem Hundeschlitten sein können!

Einige leere Schlitten überholen uns. Soll ich umsteigen auf ein schnelleres Gespann, damit ich früher in die Siedlung komme? Nein. Ich kann Peter Brönlund nicht beleidigen. Dann schon lieber eine halbe Stunde länger frieren. Endlich kommt Scoresbysund in Sicht. Wie anders sieht doch die Siedlung im Winter aus. Nur weiß man nicht, was trostloser ist: die kahle, graue Steinwüste des Sommers oder das gleichmäßige kalte Weiß des Winters.

Steine oder Schnee – beides ist im Übermaß gleich lebensfeindlich!

Peter Brönlund fährt mich vor das Büro des Handelschefs. Steif und durchfroren, wie ich bin, wälze ich mich vom Schlitten und krabble auf allen vieren in die warme Stube. Bevor ich auch nur ein Wort herausbringe, sitze ich auf dem Boden, reiße mir die Schuhe von den Füßen und massiere meine Zehen. Erst als ich die Gewißheit habe, daß wieder Blut und Leben hineinkommen, daß ich meine Füße retten kann, entspinnt sich zwischen dem jungen Mann im Vorzimmer und mir folgender Dialog: »Mein Name ist Koglbauer, ich komme aus Österreich und möchte gerne Handelschef Nielsen sprechen.«

»Sorry, Nielsen ist in Dänemark.«

»Und Lehrer Hansen?«

»Ist auch in Dänemark.«

»Und Ingenieur Nielsen?«

»Dem müßten Sie unterwegs begegnet sein, er fliegt mit Ihrer Maschine nach Dänemark.«

Jetzt erinnere ich mich eines Hundegespannes, das in letzter Minute vor dem Start der Maschine ankam und von dem mir eine bis zur Unkenntlichkeit vermummte Gestalt etwas zurief. Das muß Ingenieur Nielsen gewesen sein.

Somit bleibt mir nur noch eine Hoffnung: der Postmeister.

»Und Christiansen, ist der auch in Dänemark?« frage ich und erwarte die gleiche Antwort wie zuvor.

Anstatt dessen tippt der junge Mann mit gestrecktem Zeigefinger an seine Schläfe: »Christiansen shot himself!«

Wie ich später erfuhr, hat Christiansen in einem Anfall von schwerer Depression in seinem Haus Benzin ausgeschüttet, es in Brand gesteckt und sich dann erschossen. Polarkoller. Hinter diesem lapidaren Ausdruck verbirgt sich eines jener menschlichen Dramen, die sich in der Arktis immer wieder ereignen.

Sie verlangt Männer mit starken Nerven.

Hier ist alles hart und unerbittlich: das Wetter, die Natur und die Einsamkeit. Besonders aber die monatelange Abgeschlossenheit von der übrigen Welt.

Entsprechend stark ist auch die seelische Belastung.

Nach diesem Dialog ist meine Stimmung auf den Nullpunkt gesunken. Wie wird es weitergehen? Keiner von den alten Freunden ist mehr hier. Werde ich neue finden?

Inzwischen betritt ein Däne, Mitte Vierzig etwa, das Büro.

Ich stelle mich vor.

»Glad to meet you. What about a coffee?«

Eine Viertelstunde später sitzen wir uns in seiner Wohnung gegenüber, trinken Kaffee und plaudern.

Herr Elsner, der neue Handelschef, zeigt sich sehr interessiert an den Beweggründen, die mich im Winter nach Scoresbysund kommen ließen.

»Wie sind Sie überhaupt auf die Idee gekommen, im Winter nach Grönland zu gehen?«

»Es war bereits ein Jugendtraum von mir. Und ich bin glücklich, daß dieser Traum heute, nach soviel Jahren, endlich Wirklichkeit geworden ist.«

»Und dazu haben Sie sich ausgerechnet Scoresbysund, die einsamste und am schwersten zugängliche Siedlung ganz Grönlands ausgesucht?«

»Wenn schon, dann will ich den Polarwinter in seiner ganzen Härte und Einsamkeit erleben. Und außerdem liebe ich Scoresbysund.«

»Sie waren bereits einmal hier?«

»Ja, aber im Sommer.«

»Dann sind Sie jetzt also das zweitemal in Grönland?«

»Nein – das fünftemal!« sage ich schmunzelnd.

»Das fünfte Mal?« wiederholt Elsner erstaunt und kann es kaum fassen.

»Ich war 1957 mit einer österreichischen Bergsteigerexpedition in den Stauningsalpen, 1959 ebenfalls zum Bergsteigen im Kong-Kristian IX.-Land bei Angmagssalik, 1961 drüben an der Westküste in Umanak und oben auf dem Inlandeis auf den Spuren der Wegener-Expedition.«

»Alfred Wegener war doch auch Österreicher«, unterbricht mich Elsner.

»Wahlösterreicher, würde ich sagen. Er wurde in Berlin geboren und kam 1924 nach Graz, wo er an der Universität Meteorologie und Geophysik unterrichtete. Von Graz aus startete er 1930 zu seiner letzten Grönlandexpedition, von der er nicht mehr heimkehrte.«

»Ja, ich erinnere mich, ich habe darüber gelesen. Übrigens – wurde nicht vor einigen Jahren irgendwo eine Gedenktafel für Professor Wegener enthüllt? Ich weiß zwar nicht wann und wo – aber ich glaube davon gehört zu haben.«

»You are right – es stimmt, es war 1961 im innersten Qamarujukfjord, dem Ausgangspunkt seiner Expedition.«

»Woher wissen Sie das so genau?«

»Weil ich selbst dabei war«, sage ich lächelnd und wärme mir die Finger an der heißen Kaffeetasse. »Die Bronzetafel wurde von der Universität Graz gestiftet und von Dr. Rotter, seiner Frau und mir an einer Felswand im Qamarujukfjord angebracht. Zur Enthüllung kamen alle dänischen Behördenvertreter des Umanakdistrikts, und – was uns besonders gefreut hat – sie brachten auch den Grönländer Detlev Frederiksen aus Uvkussigssat mit. Detlev war der letzte noch lebende Grönländer, der als Hundeschlittenführer bei der Wegener-Expedition war. Er wußte noch viel von den tragischen Ereignissen jener Zeit zu erzählen.«

»Now tell me«, sagt Elsner nachdenklich, »was ist es eigentlich, das Sie immer wieder nach Grönland zieht? Ist es das Land, sind es die Berge, die Menschen?«

»Für mich ist Grönland das verlorene Paradies. Nicht das Paradies des ›Dolcefarniente‹, des ›süßen Nichtstuns‹, sondern des aktiven Lebens, der unbegrenzten Freiheit, der Selbstbestätigung und Bewährung, die wir Bergsteiger sonst in den Bergen suchen. Oder, anders ausgedrückt, hier oben blüht für mich noch die blaue Blume der Romantik, die bei uns in Mitteleuropa nur mehr getrocknet und gepreßt im Herbarium der Zivilisation zu finden ist.«

Während dieser Unterhaltung geht die Tür auf und im Zimmer erscheint ein weibliches Wesen um die Dreißig, in Hosen, Pelzstiefeln und einer langen pelzgefütterten Parka. Die mit Polarfuchs verbrämte Kapuze umschließt ein rundes Gesicht mit leicht vorstehenden Jochbeinen und zwei kohlrabenschwarzen mandelförmigen Augen.

Sie wirft den Kopf zurück, streift die Kapuze ab und fährt sich mit der Hand durch die schwarzglänzenden glatten Haare, die ihr Gesicht umrahmen.

Überrascht und fragend blickt sie mich an. In ihren schmalen Augen lese ich: wo kommt dieser fremde Mensch plötzlich her?

»That's my wife!« sagt Elsner mit einem gewissen Stolz, »meine Frau stammt aus Westgrönland.«

Im Näherkommen streckt sie mir die Hand entgegen:

»Welcome in Scoresbysund!« sagt sie etwas zögernd, da sie merkt, daß wir uns in Englisch unterhalten.

Ihre ganze Erscheinung hat etwas lieblich-exotisches an sich und in ihrem Auftreten, mit der leichten Verlegenheit, liegt der ganze Charme einer grönländischen »Butterfly«.

»Wie gefällt es Ihnen und Ihrer jungen Frau hier an der Ostküste?« setze ich die Unterhaltung fort, da seine Frau in die Küche verschwunden ist.

»Für eine gewisse Zeit ganz gut; aber irgendwann, früher oder später, werden wir wieder zurück an die Westküste gehen. Drüben hat man doch mehr Möglichkeiten. Und die Annehmlichkeiten der Zivilisation – Sie wissen, die Westküste ist halt doch um einen großen Schritt voraus.«

Sicher hat Elsner recht.

Zwischen der West- und Ostküste liegt nicht nur das Inlandeis – sondern eine ganze Welt!

Hier im Osten spürt man noch nichts von dem gewaltigen Umbruch, in dem die Westküste sich befindet.

Natürlich ist auch im Osten die Zeit nicht stehengeblieben. Die Wohnverhältnisse haben sich gebessert, die ärztliche Betreuung und der Schulunterricht sind ausgebaut und das Warenangebot in der kleinen Boutique ist vergrößert worden.

Aber trotz allem – die Lebensgrundlage an der Ostküste ist nach wie vor die Jagd auf Robben und Seehunde von der Eiskante oder vom schmalen Kajak aus. Sie ist noch so gefährlich wie eh und je und eine Schlittenreise in der Polarnacht auch heute noch voll Abenteuer und Romantik.

Diese Romantik aber sucht man an der Westküste schon vergeblich.

Mit Ausnahme des höchsten Nordens.

Hoffentlich bleibt sie der Ostküste noch lange Zeit erhalten, denn ich bin überzeugt davon, daß sich die Menschen von Scoresbysund als freie Jäger wohler fühlen als am Fließband einer Fischfabrik, und in ihren kleinen Holzhäusern geborgener als in den großen Wohnblocks der westgrönländischen Städte.

Wohl ist das Leben eines freien Jägers stets gefährlich und unsicher. Einmal hat er Jagdglück, dann wieder nicht. Aber einen gewissen Unsicherheitsfaktor wird es an der äußersten Grenze menschlicher Existenzmöglichkeit immer geben. Und außerdem hat die Ungewißheit vor der Zukunft seit jeher an der Wiege der Eskimos Pate gestanden. Was, zum Beispiel, würde geschehen, wenn sich durch eine der periodischen Klimaschwankungen die Wassertemperatur vor der Küste von Scoresbysund auch nur um ein Grad erhöht? Dann würde sich der Planktonhaushalt und durch ihn der Kleintierbestand im Meer verändern, und die unausbleibliche Folge wäre ein Abwandern der Robben und Seehunde mit dem kälteren Wasser nach Norden. Dann wäre es aus mit der Jagd. Und damit auch mit der Romantik und dem Abenteuer. Denn um den Robben und Seehunden mit Fellzelten nachzuwandern, dazu sind auch die Menschen von Scoresbysund heute schon zu seßhaft. Dann müßten sie bestenfalls zur Angelschnur greifen und Dorsche fangen, so wie ihre Brüder an der Westküste. Denn mit dem wärmeren Wasser würden die Fische aus dem Süden kommen.

»Some more coffee?« – »Wollen Sie noch Kaffee?« fragt mich Elsner.

»Bitte gerne!«

Er steht auf, um in der Küche eine neue Kanne aufzugießen. Intensiver

Kaffeeduft erfüllt den Raum. Ich weiß nicht, wie viele Tassen ich schon getrunken habe. Ich weiß nur, daß ich wie ein Süchtiger dieses dampfende Getränk in mich hineinschlürfte. Der Kaffee ist heiß wie die Tropensonne und schwarz wie die Polarnacht und peitscht mir das Blut bis in die letzten Kapillarröhrchen. Ich spüre förmlich, wie er meine gefühllosen Füße und Zehen mit neuem, schmerzendem Leben erfüllt.

Die herzliche Plauderei mit Elsner, die stimulierende Wirkung des Kaffees und die Tatsache, wieder in Grönland zu sein, lassen in mir eine innere Zufriedenheit und Glücksstimmung aufkommen, wie ich sie schon lange nicht erlebt habe.

Während Elsner mit seiner Frau in der Küche den Kaffee bereitet, denke ich – wie schon so oft – über die Zukunft der Ostküste und deren Bewohner nach. Dabei ist es ein Gedanke, der mich immer wieder beherrscht: ich bin gleichsam besessen von der Idee, die ganze Ostküste Grönlands zu einem einzigen großen Naturschutzgebiet erklären zu lassen. Zwar nicht zu einem Reservat für aussterbende Tiere, sondern vor allem zu einem Erholungsraum für managerkranke Industrie- und Wirtschaftsbosse. Oder – möge es nie dazu kommen – vielleicht sogar als letzte Zufluchtsstätte für die von Smog und verseuchter Umwelt dezimierte europäische Bevölkerung. Wie lange werden unsere Alpenländer im Herzen Mitteleuropas als Erholungsraum der fortschreitenden Industrialisierung, der Zersiedelung und den Kraftwerksbauten noch standhalten können? Keiner weiß es.

Wenn der Gedanke auch neu und im Augenblick vielleicht sogar phantastisch erscheint – für die weitere Zukunft müßte er auf jeden Fall Aussicht auf Erfolg haben.

Besonders, wenn man die herbe Schönheit Grönlands entdeckt haben wird.

Wer kann sich dem Zauber der blauen Fjorde und weißen Eisberge entziehen? Wer macht sich schon eine Vorstellung von der Blütenpracht und paradiesischen Ruhe am Rande des Inlandeises, die nur gelegentlich unterbrochen wird von dem aufgeregten Schrei einer Lumme, dem Gegacker eines Schneehuhns oder dem Ruf der Wildgänse?

Und wie beruhigend ist es doch, mit einem kleinen Motorkutter durch die einsamen Fjorde zu tuckern!

Und welche Möglichkeiten gibt es für den Sportfischer!

Oder für den Wanderer und Bergsteiger! Neuland überall!

Was gibt es da nicht alles zu entdecken! Hinter jeder Bergkuppe und Felsenecke warten Überraschungen.

Natürlich wird Grönland nie das Ziel des Massentourismus werden – es wird immer von Individualisten und solchen Menschen bevorzugt werden, die auch bereit sind, Härten und körperliche Strapazen auf sich zu nehmen.

Es wird auch nicht leicht sein, es zu erschließen. Während ich mich mit diesen Gedanken beschäftige, kommt Elsner mit dem Kaffee herein.

Bei uns zu Hause sagt man: »Wem das Herz voll ist, geht der Mund über.« Und in dieser Stimmung entwickle ich Elsner gegenüber nochmals meine Pläne und Gedanken über Ostgrönland und sage dann abschließend: »Man wird zuerst an ausgewählten Plätzen einige zentrale Stützpunkte errichten müssen, rustikal und gemütlich, aber ohne Luxus eingerichtet, und in weiterer Folge eine Kette von einfachen Unterkünften in Form der Fangsthütten, für Ausflüge und Touren.«

»Und wo, glauben Sie, könnten die ersten dieser Hotels errichtet werden?« fragt Elsner nach einigem Nachdenken.

»Ich würde vorschlagen, im Angmagssalik-Distrikt, im Scoresbysund und irgendwo im Kong-Oscarsfjord, immer möglichst nahe dem Inlandeis, da nach meinen Erfahrungen in der inneren Fjordzone das Wetter meist schöner und beständiger ist als an der Außenküste.«

»Ich muß gestehen, Sie kennen die Ostküste besser als ich«, sagt Elsner und schenkt sich eine Tasse Kaffee ein.

Ich kenne mich selbst nicht mehr. Ich könnte diese Pläne endlos weiterschmieden. Natürlich habe ich oft genug über die Probleme der Ostküste nachgedacht. Heute aber purzeln die Worte gleichsam aus übervollem Herzen. Elsner schweigt. Es ist, als ob er die Fülle der Gedanken und Vorschläge erst einmal bei sich selbst ordnen und prüfen müßte.

»Das sind kühne Ideen, die Sie da entwickeln«, sagt er schließlich. »Ich meine, sie sind wert, aufgegriffen zu werden. Sie sollten sie dem Landsradsformand Erling Högh in Godthab vortragen. Er ist zuständig für Fremdenverkehrsfragen.«

Elsner steht auf.

»Entschuldigen Sie mich bitte. Mit der heutigen Maschine kam nach sieben Monaten erstmals wieder der Briefträger zu uns, da gibt es eine Menge zu erledigen. Ich hoffe, es gefällt Ihnen auch im Winter in Grönland, und selbstverständlich sind Sie während Ihres Aufenthaltes in Scoresbysund unser Gast.«

Er reicht mir die Hand: »Fühlen Sie sich wie zu Hause bei uns! Der erste Nachmittag auf dem Hundeschlitten war ein kleiner Vorgeschmack von dem, was Sie in der nächsten Zeit hier erwarten wird.«

Von dieser Stunde an gehöre ich zur Familie.

Wenn ich nicht auf Jagd bin, gehe ich mit dem achtjährigen Sohn Ski fahren, und wenn wir besonders übermütig sind, spielen wir drei Männer abends im tiefen Schnee Fußball. (Mit einem richtigen Lederball, den ich dem Jungen zum Geburtstag schenkte.)

Als Fremder kam ich zu Elsners.

Doch als wir uns zwei Monate später vor der Maschine, die mich wieder nach Europa bringen sollte, zum Abschied umarmten, da stieg uns allen Rauch in die Augen, so daß wir dunkle Brillen aufsetzen mußten.

Sind diese menschlichen Kontakte nicht etwas Wunderbares? Entsprungen einer Herzenswärme, die echt und ungekünstelt ist, zählen sie zu den Höhepunkten all meiner Grönlanderlebnisse.

SEEHUNDJAGD BEI 46 GRAD KÄLTE

Meine Ankunft in Scoresbysund fiel in eine Kälteperiode. Am ersten Tag zeigte das Thermometer minus 45 Grad, sank in den nächsten Tagen noch tiefer und erreichte am 8. März um 18.00 Uhr minus 46,1 Grad Celsius. Dies war nach Auskunft der Wetterstation Kap Tobin der bisher tiefste Stand und, wie sich später herausstellte, das absolute Maximum dieses Winters.

Wie sich schon in der ersten Stunde nach meiner Landung herausstellte, sind meine Bergschuhe dieser grimmigen Kälte nicht gewachsen. Mit ihnen kann ich kaum länger als eine halbe Stunde im Freien sein. Wo aber nehme ich in so kurzer Zeit Pelzstiefel her? Die einzige Hoffnung sind meine grönländischen Freunde vom Sommer 1967. Also schlendere ich schon am nächsten Morgen auf der Suche nach Fellkamikkern durch die Siedlung. Doch wo ich auch vorspreche, es ist immer dasselbe Bild: herzliche Begrüßung, kräftiges Händeschütteln, Lächeln aus zahnlosem Mund und Kaffee, Kaffee, und wieder Kaffee, zwischendurch ein paar Happen Seehundfleisch – aber Kamikker? Bedauerndes Kopfschütteln: »Ikke Kamikker!«

Und wenn wirklich irgendwo ein Paar alte, von Hunden angenagte Fellstiefel herumstehen, sind sie mir hoffnungslos zu klein. So einfach, wie ich mir das vorgestellt habe, geht es also nicht. In meiner Ratlosigkeit gehe ich zu Elsner und klage ihm mein Leid. Und siehe da, er weiß Abhilfe. Er erinnert sich, irgendwo ein Paar alte pelzgefütterte Fliegerstiefel zu haben, die er mir anbietet. Größe 48!

Ich ziehe zwei Paar dicke Schladminger Wollsocken an, und der verbleibende Hohlraum wird mit getrocknetem Gras ausgestopft, das ich mir bei Peter Brönlund besorge. Herrlich, nun stecken meine Füße in zwei Heustadeln – Herz, was willst du noch mehr!

Am Körper trage ich Angora-Unterwäsche und als Oberkleidung bin ich ganz in Daunen gebettet: dick gefütterte Daunenhose, Daunenjacke und ebensolche Kapuze. Aus Sicherheitsgründen in knallroter Schockfarbe. Und wenn es hart auf hart geht, ziehe ich noch eine pelzgefütterte Parka darüber.

Als ich heute morgen mit dem Daunenanzug erstmals durch die Siedlung ging, lief ein kleines Dänenmädchen aufgeregt und außer sich vor Freude zu ihrer Mutter: »Mor, Mor, Julemanden kommer!« – »Mutti, Mutti, der Weihnachtsmann kommt!«

Als die Mutter ihr den Irrtum ausreden wollte, beharrte die Kleine: »Ich habe ihn ganz genau gesehen – er hat schöne rote Kleider, eine rote Kapuze und große Stiefel. Jetzt ist er gerade bei Brönlund!«

Mit Elsners Fliegerstiefeln ist mein Hauptproblem fürs erste gelöst. Vielleicht macht die gute alte Magdalena ihr Versprechen doch wahr und fertigt mir in nächster Zeit ein Paar Fellkamikker nach alter Eskimoart mit Innen- und Außenstiefeln für meine Schuhgröße an.

Meinen Fußumriß hat sie jedenfalls auf einem Karton abgenommen.

Nun kann ich doch daran denken, vielleicht morgen schon mit einem Hundeschlitten zur Seehundjagd zu fahren.

Mit einem Hundeschlitten zur Seehundjagd!

Wie leicht sich das sagt.

Wer aber wird mich schon zur Eiskante mitnehmen?

Dort hinaus, wo die feste Eisdecke des Fjordes in trügerisches, hauchdünnes Neueis am Rande des offenen Wassers übergeht.

Wer belastet seinen Schlitten und sein Gewissen schon gerne zusätzlich, wenn es gilt, über diese unsichere, schwankende Eisfläche zu fahren? Über eine Eisfläche, bei der ein zu schwerer Schlitten oder ein unüberlegter Schritt den Tod in den eisigen Fluten des Polarmeeres bedeutet?

Heute jedenfalls war es mir nicht möglich, eine feste Zusage von den Grönländern zu erhalten.

»Upa« – vielleicht, *»Imera«* – ich weiß es nicht – wichen sie stets aus, wenn ich sie fragte, ob sie morgen wieder zur Eiskante fahren würden. Vielleicht widerspricht es auch den Gewohnheiten eines freien Jägers, sich durch eine feste Zusage zu binden. Er fährt zur Jagd, wann es ihm beliebt; vielleicht um 4 Uhr früh oder um 12.00 Uhr mittags, und wenn er einmal keine Lust hat, dann eben gar nicht.

Er will sich durch kein Versprechen binden und ein freier Jäger bleiben.

Ich aber muß hinaus zur Eiskante, gehe es, wie's geht! Ich kann es nicht erwarten, ich brenne darauf, ich habe noch die mitteleuropäische Ungeduld in mir. Diese Unrast ist es auch, die mich am nächsten Tag schon um 8.00 Uhr früh hinab treibt zum Fjord, an die Schlittenspur, die über Kap Tobin auf das Polarmeer hinausführt.

Es ist ein schöner, klarer Wintermorgen – aber grimmig kalt! Wie eine riesige Taschenlampe steht die Sonne am Himmel und übergießt die Schneelandschaft mit einer fast schmerzenden Lichtfülle. Sie spendet aber nur Helligkeit – und kein Grad Wärme. Bei jedem Schritt knirscht und quietscht der Schnee, bei jedem Atemzug friert mir die Nase zu und stoße ich eine Nebelwolke aus.

Ich bin fest entschlossen, mit dem ersten Hundegespann, das vorbeikommt, per Anhalter zur Seehundjagd zu fahren. Ich habe in meinem Leben schon vieles gestoppt: Ochsen und Pferde, Autos und Motorräder, Frachtschiffe im Polarmeer, warum nicht auch einmal einen Hundeschlitten? Ich mag vielleicht eine halbe Stunde gewartet haben, da saust ein Hundegespann durch die Siedlung.

Ich sehe Männer, Frauen und Kinder zur Seite springen und höre das Gebrüll des Hundeführers.

Wie von allen Geistern gehetzt, stürmen die Hunde die steile Böschung zum Fjord herab, einen langen Kondensstreifen gefrorenen Atems hinter sich herziehend.

Sie kommen geradewegs auf mich zu.

Ich mache mich bemerkbar. Ich winke und fuchtle mit den Armen in der Luft herum. Der Grönländer muß mich doch sehen. Warum hält er das Gespann nicht an?

In unvermindertem Tempo sausen die Hunde dahin.

Hinter dem Schlitten wirbelt Schnee auf.

Ich trete einen Schritt von der Spur zurück, um von den Hunden nicht überrannt zu werden. Knapp vor mir weichen sie auch in einem Bogen in den tiefen Schnee aus, dadurch werden sie langsamer – und aus dem Lauf heraus werfe ich mich mit einem gezielten Hechtsprung quer über den Schlitten.

Dabei fliege ich dem Grönländer vor die Füße.

Er sagt etwas, das ich nicht verstehe. Ich klammere mich an seinen Beinen und den Querhölzern des Schlittens fest, der halbe Körper aber schleift seitlich im tiefen Schnee. Soll ich loslassen und versuchen, vom Schlitten freizukommen? Nein – koste es, was es wolle –, ich bleibe. Mit letzter Kraft angle ich nach einem festen Halt, da packen mich zwei kräftige Arme und zerren mich vollends auf den Schlitten.

»Kujanak, kujanak!« Danke, danke, sage ich auf grönländisch, während ich mich aufsetze und den Rucksack abnehme.

Ich gebe dem Schlittenführer durch Zeichen zu verstehen, daß ich mitkomme zur Eiskante.

»Piusse?« Seehunde? frage ich und mache das Zeichen des Schießens.

»Upa«, vielleicht, meint er achselzuckend.

»Stor Fangstman, mange Piusse!« sage ich in einem Gemisch von Dänisch und Grönländisch und haue ihm dabei kräftig auf die Schulter: großer Jäger, viele Seehunde!

Da lachen wir beide.

Dann gebe ich ihm ein Päckchen Zigaretten. Daraufhin angelt er aus den Tiefen seiner Hosentaschen ein Feuerzeug und ein rotes Taschenmesser und hält mir beides fragend unter die Nase. Es soll etwa heißen: kennst du das?

Ja, wie kam denn der Bursche zu dem Taschenmesser und Feuerzeug? Diese Kleinigkeiten hatte ich doch 1967, bei meinem ersten Besuch in Scoresbysund, als Geschenke verteilt. Demnach waren wir also schon irgendwo beisammen. Aber wo?

Natürlich kennt er mich. Kunststück, wer kennt den »Östriger« nicht? Die kleinen Knirpse rufen an allen Ecken und Enden »Östriger! Östriger!«, wenn ich durch die Siedlung gehe, und die Erwachsenen versuchen immer wieder, mir bei einem kleinen Plausch etwas klarzumachen, was ich meist doch nicht verstehe.

Sicherlich ist es für ihn leichter, einen einzelnen Östriger zu erkennen, als für mich 250 Grönländer. Noch dazu, wo er die Kapuze seines Anoraks so zugezogen hat, daß kaum etwas von seinem Gesicht zu sehen ist.

Ich beginne bei den Bootsbesatzungen und frage kurzerhand: »Entalik?« Er schüttelt den Kopf: »Dorthe!« Auf »Dorthe« also, dem kleinen Kutter des Grönländischen Handels, haben wir uns kennengelernt. Da waren wir ja gemeinsam auf den Băreninseln im inneren Scoresbysund,

Eine lustige Balgerei beendete meinen ersten Kinderskikurs

Mit der »Eskimorolle« richtet sich der Jäger nach dem Kentern wieder auf

haben vor dem Sydkap Seehunde gejagt und in der Nordostbucht viele, viele Gänse geschossen.

»Björneö« und »Sydkap«, sage ich, mache mit beiden Händen eine Flugbewegung und dann das Zeichen des Schießens. Er lacht und nickt zustimmend.

Dann lagen wir mit havariertem Motor in den Untiefen vor der Mündung des Schuchartflusses. Und sind zwischen wolkenkratzerhohen, gestrandeten Eisbergen herumgetrieben worden. Ohne Funkgerät. Zwei Tage und zwei Nächte wußten wir nicht, ob wir den Motor wieder in Gang bringen würden.

Rings um uns barsten Eisberge.

Bei jeder Flutwelle bockte die »Dorthe« wie ein wilder Esel, und jedesmal hatte ich Angst, über Bord geschwemmt zu werden. Wenn wir zu nahe an einen Eisberg herangetrieben wurden, mußten wir zu den Riemen greifen.

Und der Sturm bei der Heimfahrt im Hall Bredning?

Und die Sturzseen, die über unser kleines Boot hinweggingen? Wie ein nasser Pudel hatte »Dorthe« alle Brecher abgeschüttelt und war immer wieder aufgetaucht.

»Dorthe Ajungilak«, »Dorthe ein gutes Boot«, sage ich. Da freut er sich. Seine Augen leuchten.

Nach diesen gemeinsamen Erlebnissen vor zwei Jahren sind wir uns nicht mehr fremd.

Ob im Sommer mit dem Motorboot oder im Winter auf dem Hundeschlitten, immer wieder zeigt es sich, daß die Grönländer ein fröhliches, geselliges Völkchen sind. Ganz entgegen meiner ursprünglichen Erwartung nimmt er meine Anwesenheit auf dem Schlitten freudig zur Kenntnis und versucht stets aufs neue, mich in ein Gespräch zu verwickeln. Unsere Konversation besteht zwar hauptsächlich aus Zeichen und Gebärden, aber es ist unglaublich, was man damit alles ausdrücken kann.

Die Schlittenspur zwischen der Siedlung Scoresbysund und der Wetterstation Kap Tobin ist gut, die Hunde sind ausgeruht und arbeitsfreudig, fast möchte man sagen übermütig und rauflustig. Ihr heißer Atem gefriert sofort zu langen Nebelfahnen, und das ganze Gespann ist einge-

Stundenlang stehen die Jäger an der Eiskante

Durch den großen Temperaturunterschied bildet sich oft über dem Wasser dichter Nebel hüllt in eine Wolke aus gefrorenem Wasserdampf. In der ersten Stunde haben sie alle noch ihr Morgengeschäft zu verrichten. Das kleine und das große. Alles muß im Lauf erledigt werden. Wenn einer einen Moment innehält, muß er damit rechnen, nach wenigen Metern vom schweren Schlitten überfahren zu werden. Doch Polarhunde sind Akrobaten: ob im Lauf oder Hüpfen auf den Hinterbeinen, ob in oftmaligen Unterbrechungen von wenigen Metern oder im Nachgeschleiftwerden, irgendwie bringen sie es immer fertig, ihre dringendsten Bedürfnisse zu erledigen.

Nach einer Stunde Schlittenfahrt erreichen wir Kap Tobin. Zwischen einem Gewirr von Masten und Antennen stehen die sauberen, gepflegten Holzhäuser der Wetterstation.

In auffallendem Kontrast dazu stehen die schmutzigen, verwahrlosten Behausungen der wenigen Grönländer, die hier wohnen.

Edward, mein Hundeführer, hält das Gespann vor einer dieser Hütten an und geht hinein, um sich aufzuwärmen. Auch ich bin froh, meine durchfrorenen Glieder wieder bewegen zu können, und stapfe hinauf zur Meteorologischen Station. Vom Maschinenhaus tritt mir ein großer rotblonder Däne entgegen. Jimmi Karlson, der Maschinenmeister, ist nicht wenig überrascht, mich nach zwei Jahren hier wiederzusehen.

»Hallo Matthias, in Greenland again? Kannst du Scoresbysund und Kap Tobin nicht vergessen?«

»Ja, Jimmi, wollte sehen, was ihr im Winter hier treibt!«

»Sind das Edwards Hunde? Bist du mit ihm zur Eiskante unterwegs? Komm herein und wärm dich auf!«

»Hab's not. Bei diesen Temperaturen friert einem ja der Fotoapparat am Gesicht fest!«

Heimelige Wärme umrieselt mich in der modernen, sauberen Station. Die Meteorologen sind gerade bei den letzten Vorbereitungen zu einem routinemäßigen Radiosonden-Aufstieg. An die bereits gefüllte Ballonhülle wird soeben die Instrumentenkapsel befestigt. In ihr befinden sich der kleine Radiosender und die meteorologischen Instrumente. Schon öffnet sich das große Tor, und der mannshohe Ballon wird auf die Reise in die Atmosphäre geschickt. Der kleine Radiosender übermittelt der Bodenstation die von den Instrumenten registrierten Werte über Luftdruck, Luftfeuchtigkeit und Temperatur in den verschiedenen Höhen.

Durch die Beobachtung der Flugrichtung auf einem Radarschirm wird noch die Windrichtung und Windstärke bestimmt.

Kaum ist die graue Ballonhülle mit der Instrumentenkapsel unseren Blicken entschwunden, taucht auch schon Edward auf.

Er entwirrt die verknoteten Hundeleinen, wir sitzen auf, und weiter geht's – der Eiskante entgegen.

»Good-by, Gentlemen, lebt wohl!«

Doch anstatt meinen Gruß zu erwidern, mahnen mich alle zur Vorsicht:

»Be careful!«

»Take care of you!«

»Sei vorsichtig, paß auf, daß du nicht ins Wasser fällst!«

Ist die Seehundjagd an der Eiskante wirklich ein so riskantes Abenteuer? Wird sie zu Recht so gefürchtet? Es wird sich bald zeigen. Vorerst aber heißt es, noch einige Zeit auf dem Schlitten auszuharren.

Ausgeruht und voll Jagdeifer stürmen unsere zehn Hunde der äußersten Spitze von Kap Tobin entgegen. Mit einem Steilhang fällt die Landzunge zum Polarmeer ab. Edward brüllt die Hunde an, doch sie sind nicht mehr zu halten. Im nächsten Moment kippt der Schlitten über die Kante, und ich sehe tief unten das zugefrorene Polarmeer.

Edward ist abgesprungen, klammert sich hinten am Schlitten fest und versucht, ihn zu bremsen. Die Hunde kennen die Gefahr, vom schweren Schlitten überfahren zu werden, und rennen um ihr Leben. Einige scheren links, einige rechts aus.

Ihre Leinen kommen unter die Kufen. Die Hunde überschlagen sich. Sie liegen auf dem Rücken und werden nachgeschleift. Sie heulen entsetzlich und versuchen vergeblich, wieder auf die Beine zu kommen.

Ich aber sitze wie gebannt auf dem Schlitten und weiß nicht, was ich machen soll. Zum Abspringen ist es zu spät. Bei diesem Tempo breche ich mir alle Knochen. Also klammere ich mich fest und warte, was kommt. Dabei werde ich wider Willen zum Helden. Der Schlitten schleudert von einer Kufe auf die andere, er stößt wie ein wütender Stier, der sich in blinder Wut auf den Torero stürzt.

Wenn er kippt, muß ich abspringen, sonst begräbt er mich. Soviel ist mir klar.

Das Tempo des Schlittens steigert sich durch sein Eigengewicht. Es rüttelt mir die Eingeweide durcheinander, und die Wirbelsäule droht zu zersplittern. Schon sehe ich das aufgeworfene Eis der Gezeitenspalten auf mich zukommen. Hoffentlich zerschellt der Schlitten nicht an diesem letzten Hindernis. Doch ehe es so weit kommt, bringt Edward den Schlitten zum Stehen. Ich steige ab und lächle ihm zu. Harmlos, ganz so, als wollte ich sagen, welchen Riesenspaß mir diese Schlittenfahrt gemacht hat.

Die Hunde hecheln mit weit heraushängenden Zungen. Edward zieht die Leinen der mitgeschleiften Hunde unter dem Schlitten hervor, packt jeden einzelnen beim Kragen und gibt ihm einen Fußtritt.

Die Tiere heulen und ziehen die Schwänze ein.

Dann ordnet er die Seile des Gespanns, wir sitzen auf und fahren weiter. Hart poltert der Schlitten über die blanken Eisrücken der Gezeitenspalten. Die Spur windet sich in Ufernähe zwischen kastengroßen eingefrorenen Eisblöcken hindurch, um bald darauf wieder die freie Eisfläche des Polarmeeres zu erreichen.

Die nächsten paar Kilometer sind wellig wie ein Waschbrett. Es ist, als ob das Meer bei hohem Seegang plötzlich zu Eis erstarrt wäre. Der Schlitten schaukelt dahin, daß man fast seekrank werden könnte: einmal ragt der Bug in die Höhe, dann plumpst er in das nächste Wellental, um sich gleich darauf wieder aufzurichten. Als nach einer halben Stunde diese »Schaukelei« endlich vorüber ist, bin ich herzlich froh.

Über die weite Fläche des Polarmeeres streicht ein ganz gemeiner, messerscharfer Wind. Unter diesen Umständen sind die 45 Grad im Gesicht kaum zu ertragen. Ich habe mir die Wollmütze und die Daunenkapuze ins Gesicht gezogen und den Schal über die Nase gebunden, so daß ich zwischen beiden wie durch ein Visier hindurchschaue. Ich sehe weit voraus irgend etwas Dunkles auf dem Polarmeer. Noch kann ich nicht ausmachen, was es ist. Im Näherkommen erst erkenne ich Kajaks und roh zusammengenagelte Holzboote mit flachem Boden, die seitlich der Schlittenspur kieloben im Schnee liegen.

Edward hält die Hunde an, und wir laden sein Kajak quer über unseren Schlitten.

Bis jetzt hat uns ein drei Meter hoher Eispressungsrücken die weitere

Sicht versperrt. Im Sturm versuchen die Hunde das Hindernis zu nehmen. Kraftvoll ziehen sie in den Seilen, keuchend geht ihr Atem. Vergeblich mühen sie sich ab. Da stürzt sich der Leithund des Gespanns mit gefletschten Zähnen auf die ihm nächststehenden Hunde, faßt sie beim Kragen, schüttelt sie, daß die Haare fliegen, und ist im nächsten Moment wieder vorne in den Seilen.

Er ist der Boß. Er kennt keinen Spaß.

Die Tiere reißen und rutschen, sie straucheln und fallen und stemmen sich erneut in die Seile. Mit weit heraushängenden Zungen hecheln sie, ihr Atem gefriert und hüllt sie in eine Wolke von Eiskristallen.

Ich möchte den Hunden helfen und schaue auf Edward. Er aber flucht was das Zeug hält, und läßt die lange Peitsche auf die Hunderücken niedersausen. Die Getroffenen heulen und winseln.

Dann endlich ist es geschafft.

Vor uns liegt glattes, schneefreies Neueis.

Und über diese hindernislose Fläche geht es dahin wie der Wind. Mir wird es langsam ungemütlich. Ich spüre, wie sich dieses gläserne, durchsichtige Neueis unter der Last des Schlittens senkt und wieder hebt. Ich weiß, daß Meereis eine außergewöhnliche Elastizität und dadurch eine hohe Tragfähigkeit besitzt.

Trotzdem – bei der Fahrt über diese Eisfläche ist mir, als säße ich auf einem schwankenden Baumwipfel, der sich im Wind neigt und wieder aufrichtet und von dem man nie weiß, wann er bricht.

Die Polarhunde, deren Wildheit mit nichts zu vergleichen ist, die auf festem Boden nicht zu lenken und zu bändigen sind, werden plötzlich zahm und folgen dem leisesten Zuruf.

»Iji, iji«, rechts, »Ijo, ijo«, links. Edward braucht es ihnen nur zuzuflüstern. Sie sind wie ausgewechselt. Sicherlich spüren sie das offene Wasser, ahnen das Meer unter ihren Füßen, von dem sie nur eine hauchdünne Eisdecke trennt.

Offensichtlich läßt sie ihr Instinkt die Gefahr ahnen, der sie ausgesetzt sind und gegen die sie mit ihrer ganzen Kraft und Wildheit nichts auszurichten vermögen, gegen die sie nicht ankämpfen können. Angesichts dieser Gefahr vertrauen sie dem Menschen und lassen sich widerspruchslos lenken. Wohin geht diese Fahrt? Wo wird sie enden? Es sind keine Spuren mehr zu erkennen, es gibt keinen Horizont. Nichts als eine schattenlose weiße Fläche, über die einzelne Nebelschwaden ziehen, in die wir hineinfahren, die uns einhüllen und die Sicht nehmen. Die Ferne verliert sich im Grau des Nebels, der sich in feinen Kristallen auf unsere Hunde legt. Plötzlich ein Schuß!

Zwei – drei weitere folgen.

Ich reiße mir den vereisten Schal vom Gesicht, um besser sehen zu können. Da tauchen dunkle Punkte aus dem Nebel: Hunde, Menschen und Wasser, richtiges dunkles Wasser, hier inmitten der weißen Wüste aus Schnee und Eis.

Das also ist die Eiskante!

Hier, in diesem ständig wechselnden Wassergürtel, spielt sich im Winter alles Leben ab.

Hierher kommen die Meeressäuger, die Luft zum Atmen brauchen: die kleinen Fjordseehunde und großen Robben, manchmal sogar ein Walroß. Die Eiskante ist aber auch der Treffpunkt der Jäger der beiden Siedlungen Scoresbysund und Kap Hope. Hier gibt es keine Frauen und Kinder, sind die Männer unter sich, denn Jagd ist Männersache.

Edward ruft den Nächststehenden etwas zu. Einen Gruß vielleicht oder eine Anerkennung für die erfolgreiche Jagd, denn schon zwängt sich einer in sein Kajak und paddelt hinaus, um den Seehund zu holen.

Ich sehe bereits einige erlegte Seehunde bei den Schlitten liegen. Edward lenkt sein Gespann die Eiskante entlang. Es scheint, als ob er nicht gerne in größerer Gesellschaft jagen würde.

Nach etwa einer halben Stunde tauchen aus dem Nebel wieder einige Hundeschlitten auf, und die Männer stehen an der äußersten Eiskante.

Edward fährt auf sie zu. Es scheint ein guter Platz zu sein. Blutspuren verlaufen kreuz und quer über das Eis, Seehunde liegen umher, und ein flaches Holzboot hängt halb im Wasser über der Eiskante.

Wir halten in einiger Entfernung, steigen vom Schlitten und nähern uns langsam und vorsichtig den Männern an der Eiskante. Um die dünne Eisfläche nicht allzusehr zu belasten, gehe ich etwa zehn Schritte hinter Edward. Ich schaue auf seine Tritte, ich beobachte die Eisdecke, um herauszukriegen, welches Eis trägt und wo es zu meiden ist. Trotzdem ist es wie ein Gang ohne Seil über einen spaltenreichen, verschneiten Gletscher: hier wie dort kann der nächste Schritt der letzte sein, ist ein geschulter Blick und Erfahrung notwendig – der verbleibende Rest jedoch, der von Erfahrung und Vernunft nicht mehr erfaßt werden kann, ist Gefühl und Instinkt.

Es ist doch ein recht merkwürdiges Gefühl, am äußersten Rand einer hauchdünnen Eisfläche zu stehen und mit den anrollenden kleinen Wellen den Pulsschlag des Meeres an den Fußsohlen zu spüren. Oder durch gläsernes Eis hindurchzuschauen in die dunklen Fluten des Polarmeeres, aus dessen schauriger Tiefe es keine Wiederkehr gibt. Und vor allem – das rettende Ufer in so weiter Ferne zu wissen. Wie oft wohl mögen wir bei diesen Fahrten den Fischen näher gewesen sein als den Menschen?

Und doch sind das Eis, auf dem wir stehen, und das dunkle Wasser darunter dieselbe Materie. Unterschieden lediglich durch ihren Aggregatzustand. Wir stehen ungefähr hundert Meter seitlich von den anderen Jägern entfernt, am Rande einer kleinen Bucht. Die Begrüßung ist eher kurz und kühl. Sie nehmen auch von mir, dem Fremden, kaum Notiz.

Alle schauen gespannt auf das Meer hinaus.

Durch den großen Temperaturunterschied – das Wasser ist bei null Grad relativ warm und die Luft bei 45 Grad extrem kalt – bildet sich immer wieder Nebel, der in grauen Schwaden von der Wasserfläche über das Eis gegen die Küste streicht.

In der nächsten Stunde geschieht nichts. Weder ein Seehund noch sonst was zeigt sich im Wasser. Das Meer scheint ausgestorben zu sein. Ab und zu geht ein Jäger von der äußersten Kante zurück zu seinem Schlitten, hüpft herum und wärmt sich auf. Auch mir wird kalt und langweilig. Vorsichtig schleiche ich mich zurück zu unserem Hundegespann, zünde meinen Benzinkocher an und schmelze einen Klumpen Eis für Kaffeewasser. Kraftvoll brummt der Kocher. Er summt die vertraute Melodie von vier Grönlandexpeditionen, das Lied von Abenteuern und Bergerlebnissen. Wie oft habe ich im Kreise meiner Kameraden um diesen Kocher gesessen. Hungrig und erwartungsvoll, wenn wir von unseren Touren kamen, übermütig und zu allen Späßen bereit, wenn wir satt waren, und wortkarg und mürrisch, wenn wir unausgeschlafen und frierend um Mitternacht auf einen Schluck heißen Tee warteten, bevor wir aufbrachen.

Ich wärme meine Hände am Kochtopf und beobachte das langsame Abschmelzen des Eises. Da kommt ein Jäger auf mich zu und reißt mich aus meinen Träumen. Er schaut zuerst den Kocher mit dem Eisklumpen, dann mich an und schüttelt den Kopf: »Ikke Is!« sagt er, greift nach dem Kochtopf und gießt den Inhalt in hohem Bogen über die Hunde hinweg aufs Eis. Ich schaue ihn fassungslos an.

Ist der Kerl wahnsinnig geworden?

Gießt mein Kaffeewasser aus, anstatt froh zu sein, wenn es etwas Warmes gibt. Er merkt wohl meine Bestürzung, lächelt mir begütigend zu und geht weg. Als er wiederkommt, hat er in der einen Hand den Kochtopf randvoll mit Schnee, in der anderen ein Stückchen Eis, das er mir an die Lippen hält.

»Pfui Teufel, schmeckt dieses Zeug salzig!« Und plötzlich geht mir ein Licht auf: wie konnte ich nur Meereis, gefrorenes Salzwasser also, zum Kaffeekochen verwenden wollen? Wie hätten alle gelacht, wenn ich ihnen zum Zubereiten des Kaffees heißes Salzwasser angeboten hätte!
So aber waren alle begeistert, als ich ihnen den Topf mit kochendem Wasser zur Verfügung stellte.

Wie sich bald herausstellte, war das die Idee des Tages! Da zur Standardausrüstung eines grönländischen Jägers außer Gewehr und Patronen auch ein Petroleumkocher mit Aluminiumtopf, ein Glas Neskaffee und etwas Zucker gehört, stehen bald alle um unseren Schlitten herum und schlürfen mit sichtlichem Behagen den dampfenden Kaffee.

Zur besonderen Freude lasse ich noch ein Päckchen Zigaretten in die Runde gehen, und damit ist mein Einstand in die Gemeinschaft der Jäger besiegelt.

Jetzt gehöre ich zur Zunft. Mit der inneren Wärme steigt auch die Stimmung. Sie lachen, schwatzen und erproben spielerisch ihre Kräfte.

Einer der Männer nimmt eine leere Patronenhülse und steckt sie in ungefähr 30 Schritt Entfernung in einen kleinen Schneeklumpen. Dann reicht er mir sein Gewehr. Obgleich ich seit dem Krieg keinen Schuß mehr getan habe, versuche ich, meine Ehre zu retten.

Ich lege mich der Länge nach aufs Eis – ziele – und drücke ab. Der Rückstoß reißt mir fast die Kapuze vom Kopf.

Der erste Schuß geht daneben.

Der zweite hat die Richtung, ist aber zu kurz.

Beim dritten fällt die Hülse. Wie sich aber herausstellt, ist sie nicht getroffen worden, sondern der Schuß ging knapp darunter durch den Schnee, so daß die Hülse umfiel.

Außer Edward traf nur noch ein Jäger die Hülse. Solche Schießübungen sind ein beliebter Zeitvertreib der Männer. Sie sind ein Spiel mit tieferem Sinn: der Schädel von einem auftauchenden Seehund ist kaum größer als eine Faust. Und er muß oftmals aus großer Distanz getroffen werden. Wer hier nicht ein sicheres Auge und eine ruhige Hand hat, kann nicht alle Möglichkeiten nutzen, die sich ihm bieten. Und diese Möglichkeiten sind oft sehr spärlich.

Heute zum Beispiel scheint das Meer schon seit Stunden ausgestorben zu sein. Seit unserer Ankunft hat sich noch kein einziger Seehund gezeigt. Nichts, rein gar nichts rührt sich im Wasser. Daher verläßt ein Hundegespann nach dem anderen die Eiskante und fährt heim. Nur Edward bleibt. Ich natürlich mit ihm. Schon neigt sich die Sonne gegen den Horizont. Der Nebel über dem Meer hat sich verzogen, und so weit ich sehen kann, sind wir die einzigen Jäger auf dem weiten Polarmeer.

Wir haben den ganzen Tag noch nichts gegessen. Hunger und Kälte plagen mich. Aber wollte ich nicht das Leben der grönländischen Jäger im Winter kennenlernen?

Heute bin ich den ersten Tag an der Eiskante, und schon will ich kleinmütig verzagen?

Jetzt taucht ein schwarzer Schädel auf, und ein Schuß zerreißt die Luft! Der Seehund ist getroffen, der Kopf bleibt über Wasser. Edward bringt sein Kajak ans Wasser, zwängt sich hinein, dann paddelt er hinaus, um den Seehund zu holen. Gespannt verfolge ich ihn mit dem Glas.

Edward paddelt wie eine Maschine. Noch 100 Meter – noch 50 Meter. Der schwarze Schädel tanzt mit den kleinen Wellen auf und ab. Jetzt hat der Jäger ihn erreicht. Er stößt ihm einen Widerhaken in den Leib und bindet ihn am Kajak fest. Die Beute ist sichergestellt, jetzt hat er es nicht mehr eilig.

In Ufernähe setzt er zum Endspurt an: er jagt mit solchem Tempo auf die Eiskante zu, daß fast das ganze Kajak auf das Eis aufläuft. Ich nähere mich ihm vorsichtig, fasse den Bug, um zu verhindern, daß das Kajak ins Wasser zurückgleitet oder umkippt.

Edward zwängt sich heraus, tritt aufs Eis, das Eis bricht, und er versinkt vor meinen Augen bis zum Bauch im Wasser.

Mir stockt das Herz.

Er klammert sich am Boot fest und strampelt mit den Beinen im Polarmeer. Aus dem Loch in der Eisdecke sprudelt Wasser. Es breitet sich aus und rinnt zu mir herüber. Was soll ich tun? Wie kann ich Edward helfen? Ich weiß, daß er in kürzester Zeit unterkühlt sein wird. Verzweifelt versucht er, sich aus dem Eisloch zu befreien, doch je mehr er strampelt, desto mehr Eis splittert ab, desto größer wird das Loch.

Jetzt wird er ruhiger. Verlassen ihn seine Kräfte? Aber ich kann doch Edward nicht ertrinken lassen, ohne einen Finger zu rühren. Während ich überlege, was ich tun soll, schnellt er wie ein Fisch aus dem Wasser, reißt mir das Boot aus den Händen, das Kajak kippt, und mit ihm fällt Edward zurück und versinkt durch das Loch in den Fluten.

Prustend wie ein Walroß erscheint er im nächsten Moment wieder an der Oberfläche. Seine Hände umklammern immer noch den Holzrand des Bootes, über sein Gesicht läuft Eiswasser, aus seinen Augen spricht die Angst.

Jetzt vergesse ich alle Vorsicht. Ich taste mich am Kajak entlang bis zum Einstiegsloch und richte mit dem Gewicht meines Körpers das umgestürzte Boot wieder auf. Dadurch ziehe ich Edward, der sich am Holzreifen des Einstiegsloches anklammert, so weit aus dem Wasser, daß er auf die festere Eisfläche kriechen kann.

Gott sei Dank – das Eis hält!

Langsam und vorsichtig, mit einer Hand sich immer noch am Kajak haltend, kriecht der Jäger wie ein Seehund auf das feste Eis zurück.

Edwards Seehundkamikker, seine Eisbärfellhose und sein verschmierter, traniger Anorak haben offensichtlich weniger Wasser angenommen, als ich erwartet hatte.

Trotzdem – jetzt ist keine Zeit zu verlieren. Wir laden den Seehund und das Kajak auf den Schlitten, sitzen auf, und dahin geht's – heimwärts in die gute warme Stube, die leider noch so weit entfernt ist.

Das Tempo der Hunde auf dem blanken Eis ist beängstigend. Fast scheint es, als ob sie ahnen würden, worum es geht. Um Edward gegen den scharfen Fahrtwind zu schützen, sitze ich vorne, während er, in ein altes Moschusfell gehüllt, sich an meinen Rücken drückt. Aber schon nach wenigen Minuten wird die Kälte für ihn unerträglich. Er weiß, daß die einzige Möglichkeit zu überleben Bewegung ist.

Also steigt er ab, klammert sich an der Rückenlehne fest und läuft – läuft.

Wenn ihm das Tempo der Hunde zu schnell wird, läßt er sich nachschleifen, wenn sein Atem zu kurz wird, springt er auf den Schlitten und sucht für kurze Zeit hinter meinem Rücken Schutz. Während einer solch kurzen Atempause höre ich plötzlich etwas Hartes fallen. Wir stoppen die Hunde, ich laufe zurück und finde nach 50 Metern Edwards Gewehr mit abgerissenem Riemen auf dem Eis.

Längst schon hat sich die Polarnacht über die Arktis gesenkt. Die makellose Schneelandschaft aber läßt die Nacht nicht dunkel und düster erscheinen, sondern gibt ihr etwas Transparentes, das wie ein Widerschein der versunkenen Sonne über dem Polarmeer liegt. Durch diese Polarnacht gleitet unser Schlitten. Das Knirschen und Quietschen des Schnees klingt wie das Jammern und Winseln verstoßener, zu Tode gequälter Seelen.

Ich kauere auf dem Schlitten und wage nicht, mich zu bewegen, um die Lufthülle um meinen Körper nicht zu zerstören. Dabei spüre ich, wie sich die Kälte immer näher zum Herzen frißt und mich immer steifer werden läßt. Von den gefühllosen Stellen im Gesicht gar nicht zu reden.

Armer Edward, wie mag es wohl dir in deinem Eispanzer zumute sein?

Auf dem festen Fjordeis hinter dem Pressungsrücken laden wir bei den anderen Booten unser Kajak ab. Es ist ein beruhigendes Gefühl, endlich wieder mannsdickes Eis unter den Schlittenkufen zu wissen und im Schnee eine tief ausgefahrene Spur zu haben. Müde quälen wir uns den letzten Steilhang zum Kap Tobin hinauf. Oben sind wir uns einig: wir schaffen es beide nicht mehr bis Scoresbysund, wir müssen uns aufwärmen, Wärme tanken.

Edward geht zu seinen grönländischen Freunden, ich zu Jimmi Karlson. Edward verspricht mir, mich dort abzuholen. Ich finde in der Finsternis keinen ausgetretenen Weg und stapfe durch tiefen Schnee zu Jimmis Haus. Da liegt vor meinen Füßen ein Eisklumpen. Ich steige drauf – der Eisklumpen heult – springt auf – knurrt mich haßerfüllt an – dann stößt eine gefletschte Hundeschnauze auf mich zu.

Mein rechter Fliegerstiefel aber ist schneller – er trifft die gebleckten Zähne mit einem Kinnhaken, daß sich der dazugehörige Hund nach rückwärts überschlägt.

Jetzt wird der Schnee um mich herum lebendig.

Zwanzig Hunde, einzeln an einer langen Kette angebunden, springen auf und erfüllen die arktische Nacht mit ihrem wilden Geheul. Aus nächster Nähe klingt es so furchtbar, daß sich mir die Haare sträuben. Und das Ganze nur, weil ich einem von ihnen auf den Pelz getreten bin.

Bald nachher öffne ich die Tür zu Jimmis Haus.

Im Vorzimmer hängt ein Spiegel, aus dem mich eine bis zur Unkenntlichkeit vermummte Gestalt anblickt: Pelzkapuze, Schal, Gesicht und Augenbrauen sind dick verkrustet mit Rauhreif und Eis. Nur die Augen sind zu erkennen.

»Hallo, Jimmi, damn't cold outside; darf ich mich aufwärmen?«

»Willkommen, Matthias! Did you get some seals?«

»Einen Seehund haben wir auf dem Schlitten, that's all.«

Jimmi Karlson ist einer jener Dänen, die Grönland wirklich lieben, die das harte und entbehrungsreiche, aber freie Leben hier oben dem Zwang der Zivilisation vorziehen. Er ist Maschinenmeister in der Meteorologischen Station, hat sein eigenes Hundegespann (von dem ich einem Tier eben auf den Pelz getreten bin) und verbringt jede freie Stunde auf der Jagd.

Während ich die Stiefel ausziehe und die Daunenkleidung abstreife, öffnet sich leise und vorsichtig die Tür zum Nebenzimmer, und im nächsten Moment schlingen sich zwei warme weiche Arme um meinen Hals.

»Anita!«

Ist sie nicht süß, mit ihren langen blonden Haaren, die ihr locker und weich auf die Schultern fallen, dem skandinavischen Stupsnäschen und den blauen Augen mit dem harmlos auffordernden Blick, der etwa bedeuten könnte:

»Spielst du heute noch mit mir?«

Während sie an meinem Hals hängt, rutscht ihr das rosa Mininachthemd über die Knie, und ich sehe, daß sie barfuß ist. Offensichtlich ist sie aus Neugierde über den späten Besuch aus ihrem Bettchen gesprungen. Eigentlich sollte sie schon schlafen. Anita ist nämlich erst zwei Jahre alt. Ich nehme sie auf den Arm und setze mich im Wohnzimmer in einen tiefen Sessel.

Dieses heimelig-warme Refugium auf 71 Grad Nord mit all seinen technischen Errungenschaften wie Ölfeuerung, Badezimmer und Spannteppich, mit Radio, Plattenspieler, dem Tonbandgerät und den Stilmöbeln ist ein Stück Dänemark. Und doch – während wir hier Kaffee trinken, Smörbrot essen und uns von leiser Musik berieseln lassen, hockt hinter den Fenstern die Polarnacht mit all ihren Schrecknissen. Ein sonderbarer Gedanke, nur durch eine dünne Hauswand von Schnee und Eis, Sturm und tödlicher Kälte getrennt zu sein.

Ich erzähle Jimmi von Edwards Mißgeschick.

Und jetzt erst, in der warmen Stube, nachdem alles vorüber ist, kommt mir unsere Wiedergeburt so richtig zum Bewußtsein.

»Skol, Jimmi! Wie schön ist doch das Leben!«

Warum, frage ich mich manchmal in stillen Stunden, ist gerade das wiedergewonnene Leben so schön? Ist es wirklich schöner als das Leben, das man in die Wiege gelegt bekam? Und wenn es so ist, warum setzt man es immer wieder aufs Spiel?

Anita wird von ihrer Mutter ein zweites Mal zu Bett gebracht. Für Jimmi Karlson aber bedeutet mein Besuch eine willkommene Abwechslung vom täglichen Einerlei, die ihm sichtlich Freude macht. Er erzählt mir von seiner Arbeit in der Meteorologischen Station, von seinem Haus in Dänemark und den Zukunftsplänen, die er mit seiner Frau schmiedet.

Mitternacht auf dem Hundeschlitten.

Ich sitze auf dem zottigen Moschusfell und lehne mich gegen den gefrorenen Seehund und Edwards abgelegte steife Kleidung. Er sitzt mit ausgeliehenen, trockenen Kleidern vor mir und raucht sein Pfeifchen.

Er läßt den Hunden freien Lauf. Gleichmäßig und mühelos ziehen sie den Schlitten in der gut ausgefahrenen Spur von Kap Tobin nach Scoresbysund.

Der Schnee knirscht und quietscht unter den schweren Kufen. Am dunklen Sternenhimmel flammt das Nordlicht.

Grüne Strahlenbündel schießen vom Horizont gegen den Zenit, lösen sich auf in einzelne Bänder, verschwinden im Nichts, kommen an anderer Stelle wieder, verdichten sich zu Spiralnebeln, zerflattern aufs neue wie wilder Rosse Mähnen.

Stumme Sprache des Lichts am sternenübersäten, arktischen Himmel, wer kann sich deinem Zauber entziehen?

Vorhänge aus zartem rosa Licht huschen geisterhaft über den Horizont, sie steigen empor, fallen in sich zusammen, wallen und weben, leuchten und vergehen wie ein Tanz mit tausend Schleiern.

Man wird des Schauspiels des bewegten Lichts auf der dunklen Bühne des Nachthimmels nie müde.

Alter Gewohnheit gemäß suche ich nach bekannten Sternbildern. Zuerst den großen Himmelswagen; viermal die Hinterräder – das muß der Polarstern sein. Nein – das ist doch nicht möglich –, ich bin doch erst auf 71 Grad Nord, und schon sollte der Polarstern fast senkrecht über meinem Kopf stehen? Habe ich etwas falsch gemacht? Ich nehme die Kassiopeia zu Hilfe. Die Mitte zwischen ihr und dem großen Wagen sollte wieder der Polarstern sein. Und es stimmt; ich komme zum selben Stern, wie ich meine, senkrecht über mir.

Hier, auf 71 Grad Nord, werden plötzlich altgewohnte Vorstellungen über den Haufen geworfen.

Es drängt sich mir die Frage auf, wo steht der Polarstern, wenn ich ihn 19 Grad weiter nördlich, vom Pol aus, betrachte? Gibt es eine Steigerung von senkrecht? Natürlich nicht. Sondern es beweist einmal mehr die Unvollkommenheit der menschlichen Wahrnehmung und zeigt, daß Sinnesorgane keine Meßgeräte sind.

Die Hunde sind in der Nacht längst nicht so wild und rauflustig wie am Tag. Es gibt nichts, was sie ablenkt, weder das Spiel des Lichts über ihnen noch ein anderes Hundegespann. Wie mir scheint, ist auch Edward vom Zauber dieser Nacht gefangen.

Seine Pfeife ist längst ausgegangen.

Wir haben während dieser nächtlichen Fahrt kein Wort gesprochen. Anfangs hat er noch ab und zu nach einem besonders kräftigen Nordlicht gezeigt. Seit langem hängt auch er nur mehr seinen eigenen Gedanken nach. Diese aber sind für mich unergründlich.

Ist eine Hundeschlittenreise bei Tag schon ein Erlebnis, so wird sie in der Polarnacht unter dem wallenden Schleier des Nordlichts geradezu unwirklich, wie eine Reise in eine andere Welt, eine Fahrt in die Sphäre des Alls, das zu schauen nur wenigen vergönnt ist und wofür kein Preis zu hoch sein kann.

Schon zeichnen sich gegen den sternenübersäten Himmel die schwarzen Umrisse des Berges ab, der hinter Scoresbysund aufsteigt, und ich glaube, bereits einige Hütten zu erkennen, die sich an seinen Fuß schmiegen.

Warum muß diese Reise schon zu Ende gehen!

Angesichts dieses verklärenden, tröstenden Lichterspieles wäre ich bereit, bis ans Ende meiner irdischen Tage auf dem Schlitten sitzen zu bleiben, um dann nach den mythischen Vorstellungen der Eskimos mit den Seelen der Verstorbenen als Polarlicht über den Himmel zu huschen und mit den Totenschädeln Ball zu spielen.

Vergessen sind der Hunger, die Kälte, die Müdigkeit.

Was bedeuten diese profanen irdischen Empfindungen gegen den Traum aus Licht, den ich erleben durfte, was sind das doch für Nichtigkeiten, verglichen mit der Sphärenmusik für die Augen, die ich erschauen durfte.

Es gibt wohl keinen Vergleich mit dem ewig wechselnden, sich nie wiederholenden, ständig erneuernden Feuerwerk am polnahen Himmel, das nur göttlichen Ursprungs sein kann.

SCHNEESTURM – WIR LEBEN VON HUNDEFUTTER

Seit Tagen schon orgelt der Sturm über das Polarmeer und treibt Schwaden von Schnee vor sich her.

Ich liege mit Kristian, meinem grönländischen Freund, auf dem vereisten Fußboden einer winzigen Fangsthütte auf der Rathbone-Insel vor der Küste des Liverpoollandes. In den beiden schmalen Holzpritschen, die wie Schwalbennester übereinander an der Wand kleben, schlafen zwei Jäger aus Kap Hope. Auf dem Tisch brennt ein alter Kerzenstummel. Sein flackernder Schein spiegelt sich in den Eiskristallen an den Wänden und wirft tanzende Schatten auf den Fußboden. Der spärliche Rest eines alten Seehundkadavers poltert pausenlos gegen die Hüttenwand und schlägt einen dumpfen Trommelwirbel zum Crescendo des Sturmes.

Wir sollten diesen letzten Rest hereinholen, bevor er davonfliegt. Ursprünglich war er zwar für die Hunde bestimmt, da wir aber des Sturmes wegen nicht auf die Jagd können, leben wir selbst schon seit Tagen von diesem alten, stinkenden Kadaver. Die Haut und den tranigen Speck für die Hunde, die paar Fetzen blutigen Fleisches für uns. Die Hunde mögen uns verzeihen! Heute hatten sie wieder eine kleine Ration bekommen, morgen ist Fasttag für sie, und übermorgen? Was wird übermorgen sein? »Imera!« Die Grönländer haben eine bessere Lebensphilosophie als ich. Sie denken nicht an morgen, und schon gar nicht an übermorgen.

»Imera!« Auch ich versuche, die sorgenvollen Gedanken beiseite zu schieben, aber schon im nächsten Moment drängt sich mir wieder die Frage auf, wie wird es weitergehen, wenn auch dieser letzte spärliche Rest aufgezehrt sein wird und wir noch immer nicht vor die Hütte können?

Das Nächstliegende wäre wohl, wir kämen mit einem oder zwei Hunden weniger nach Hause.

Ich mag diesen Gedanken zwar nicht gerne zu Ende denken, andererseits bin ich aber Realist genug, um zu wissen, daß viele Polarfahrer glücklich gewesen wären, wenn sie so wohlgenährte Hunde gehabt hätten wie wir.

Bunt wie eine Sommerwiese ist die Sonntagstracht der Grönländerinnen

Warum Kristian oder die anderen beiden nicht aufstehen und den Kadaver hereinholen? Sie müssen das Poltern doch auch hören.

Ach was, solange der Seehund an die Hüttenwand schlägt, solange ist er noch da. Schlimm wird es erst, wenn er nicht mehr poltert. Dann kann ihn der Sturm schon weggeblasen haben. Also werde ich doch aus meinen warmen Schlafsäcken heraus müssen. Wer aber kriecht bei minus 40 Grad schon gerne aus seinen Schlafsäcken?

Vielleicht steht Kristian oder einer von den beiden anderen doch früher auf.

Oder soll ich sie wecken?

So vergeht Stunde um Stunde. Immer noch brüllt der Sturm, trommelt der steifgefrorene Kadaver an die Wand.

Schließlich gebe ich meinem Herzen einen Stoß und schäle mich aus den Schlafsäcken. Vorsichtig öffne ich die Tür. Kaum aber habe ich sie einen Spalt offen, reißt sie mir der Sturm brutal aus der Hand. Sie schlägt gegen die Hüttenwand. Schnee peitscht mir ins Gesicht. Die Kerze erlischt. Vor mir ist die Hölle los. Ich umklammere mit der rechten Hand den Türpfosten und angle mit der linken den Seehund vom Haken. Doch er ist zu schwer, er fällt mir aus der Hand. Also muß ich doch in diesen Hexenkessel hinaus. Unbarmherzig stürzt sich der Sturm auf mich. Er reißt mir den Atem vom Mund und peitscht mir Schnee und Eis in Nase und Augen. Ich ringe nach Luft. In der Finsternis tappe ich nach dem Kadaver. Neben mir heult ein Hund. Ein zweiter und dritter folgt. Jetzt ist es die ganze Meute. Schaurig klingt ihr Geheul und vermischt sich mit dem Toben der entfesselten Natur zu dem unvergeßlichen Lied der Arktis.

Auf drei Beinen hüpfend nähert sich mir ein Hund. Ich versuche den Seehundkadaver in Sicherheit zu bringen und schleppe ihn über die Treppe hinauf zur offenen Tür. Dort nimmt ihn mir Kristian ab. Mühsam folgt mir der Hund. Ich drehe mich um und deute einen Fußtritt an. Er hat mich verstanden und hopst wieder zurück zu seinem Platz, wo ihn der Sturm bald mit einer schützenden Hülle aus Schnee zugeweht haben wird.

Ein auf drei Beinen hüpfender Hund ist kein schöner Anblick. Aber es ist nun einmal eine notwendige Sicherheitsmaßnahme, bei einer längeren

Feierabend nach der Jagd auf der Rathbone-Insel

Am Morgen schütteln sich die Schlittenhunde den Schnee aus dem Fell

Rast den Hunden eine Vorderpfote durch das Brustgeschirr zu stecken, damit sie nicht davonlaufen können, wenn sie die Leinen durchbeißen.

Zu dritt kämpfen wir mit der Tür gegen den Winddruck, um sie zu schließen, zünden die Kerze wieder an und klopfen uns den Schnee von den Kleidern.

Wieder in meinen beiden Daunensäcken liegend, überdenke ich die ganze Situation, in der wir uns befinden:

Der Teufel hole dieses Sauwetter!

Anstatt auf Eisbärenjagd zu fahren, liegen wir Tag um Tag, Nacht um Nacht auf dem vereisten Fußboden dieser kleinen Fangsthütte, klappern mit den Zähnen und wissen nicht, was wir nach diesem letzten Seehundkadaver, den ich gerade hereingeholt habe, essen werden.

Die ganze vorige Woche war es wolkenlos schön. Da jagten wir an der Eiskante im Scoresbysund Seehunde. Durch das gute Wetter ließen wir uns verleiten, zur Rathbone-Insel zu fahren, um auf diesem kleinen, der Liverpoolküste vorgelagerten Eiland Bären zu jagen.

Schon die Fahrt war eindrucksvoll und unvergeßlich. Aber nicht nur auf mich, auch auf den bekannten Zoologen und Gröndlandforscher Alwin Pedersen hat eine Schlittenreise zur Liverpoolküste großen Eindruck gemacht.

Er schreibt in seinem 1953 im Ullsteinverlag erschienenen, interessanten Buch »Auf Jagd in Grönland« über diese Schlittenreise:

»Hier möchte ich zunächst auf eine Reise zurückkommen, die ich zur Erforschung der Liverpoolküste unternahm, eines der interessantesten und wildesten Küstengebiete Nordostgrönlands. Das Liverpoolland bildet die Fortsetzung der Ostküste Grönlands unmittelbar nördlich von Scoresbysund.

Das Ziel unserer Reise war die Ostküste des Landes mit ihren hohen, zackigen, dann und wann von Tälern unterbrochenen Felsen, ihren Gletschern und steilen Wänden und den der Küste vorgelagerten, nur wenig bekannten Inseln (eine davon ist die Rathbone-Insel); ein Teil der Ostküste Grönlands also, der bisher nur aus meilenweiter Entfernung vom Eismeer aus gesichtet worden war. Alle Versuche, sich der Küste vom Meer her zu nähern, waren an den unüberwindlichen Eisfeldern gescheitert, die sommers und winters die Küste belagern. Hier sank unter anderem die »Hansa«, eines der beiden Schiffe der Zweiten Deutschen Nordpolarfahrt, in der Nacht vom 21. zum 22. Oktober 1869, nachdem sie in einer übermächtigen Pressung des schweren Polareises, etwa anderthalb deutsche Meilen von der Küste entfernt, zum Wrack geworden war.

Die Mannschaft konnte sich auf eine der großen Schollen retten und schlug sich in abenteuerlicher Fahrt bis zur Südspitze Grönlands durch.

Unter der Führung Brönlunds, der dieses Gebiet schon von früheren Jagdreisen her kannte, fuhren wir von der Nordküste des Scoresbysund zunächst durch ein breites Tal, das in nördlicher Richtung verlief.

Etwas Öderes und Wilderes als die Gegend, in die wir uns hier hineinwagten, hatte ich bisher noch nicht gesehen, und es wunderte mich nicht, daß alle Polarreisenden diesem Land bisher in weitem Bogen ausgewichen waren.

Das ganze Terrain machte den Eindruck, als wäre es kurz vorher von einem Erdbeben durcheinandergeworfen worden. Kleinere und größere Felstrümmer lagen aufeinandergetürmt, und nur der tiefe Schnee, der alle Unebenheiten in den Tälern ausfüllte, ermöglichte es uns, einen Weg über dieses Chaos hinweg zu finden.«

Soweit Alwin Pedersen.

Auch wir zogen in das vorhin erwähnte Tal hinein und begannen an seinem Ende den Aufstieg ins Gebirge. Dieser Weg war ermüdend. Meist mußten wir im tiefen Schnee neben dem Schlitten herstapfen. Ich hätte mich zwar an ihm festhalten können, doch das Tempo der Hunde war mir zu schnell und ungleichmäßig. Einmal rannten sie, daß ihnen die Zunge zum Hals heraushing, dann verschnauften sie wieder.

Ich bin vom Bergsteigen her einen langsameren, aber gleichmäßigeren Schritt gewöhnt.

Wenn sie auch den schweren Schlitten ziehen mußten, den längeren Atem hatten doch immer die Hunde. Also keuchte ich neben oder hinter ihnen her, Stunde um Stunde.

Oben im Gebirge kam Nebel auf. Die ersten Schneeflocken wirbelten uns bald lustig um Ohren und Nase. Doch noch dachte ich mir nichts Arges. Erst als wir durch eine flache Scharte auf eine Hochfläche hinauskamen, nahm der Wind zu, und kurze Zeit später steckten wir in einem richtigen Schneesturm. Hier oben im Gebirge war das Weiterkommen wesentlich leichter.

Der Schnee war durch den ständigen Wind hart verblasen und die Schlittenbahn gut. Wir konnten lange Strecken auf dem Schlitten sitzen und mußten nur bei größeren Gegensteigungen nebenher gehen.

Gegen Abend hatten wir die Höhe des Gebirges bereits überschritten. Das Gelände senkte sich gegen Osten, der Liverpoolküste zu. Kristian saß vor mir auf dem Schlitten und lenkte das Gespann mit sicherem Instinkt durch das verwirrende Labyrinth von Gipfeln und Kuppen. Ich drückte mich an seinen Rücken und blinzelte mit halbgeschlossenen Augen in das Schneegestöber. Wir fuhren ein Hochtal hinab, das zu beiden Seiten von mächtigen Felsbastionen umsäumt war, die immer wieder schemenhaft aus dem Nebel auftauchten und im nächsten Moment wieder darin verschwanden.

Kristian hatte für diese Fahrt zwei Hunde mehr genommen als üblich, wir hatten also zwölf kräftige, wohlgenährte Tiere vor dem Schlitten. Entsprechend war auch das Tempo, wenn die Schlittenbahn gut war. Durch den Nebel und das Schneegestöber war die Sicht oftmals sehr eingeschränkt, so daß wir kaum 50 Meter weit sehen konnten. Als die Hunde wieder einmal in vollem Lauf dahinsausten, tat sich plötzlich ein Abgrund vor uns auf. Kristian rief den Hunden etwas zu, sprang ab, klammerte sich hinten am Schlitten fest und versuchte, ihn zu bremsen, damit er nicht wie ein Geschoß in das Rudel unserer Hunde raste.

Ich zögerte einige Augenblicke, sprang dann ebenfalls ab, und bis ich wieder auf die Beine kam, war Kristian mit dem Gespann bereits im Nebel verschwunden.

Ich stapfte in der Schlittenspur den steilen Hang hinab. Auf halber Höhe war eine Blutlache, und von ihr zog eine rotpunktierte Linie talwärts. Noch wußte ich nicht, ob sie von Kristian oder von einem der Hunde stammte. Am Fuß des Steilhanges erwartete mich Kristian. Er ordnete die Seile des Gespanns und zeigte mir einen Hund, dessen halbe Schnauze herabhing. Es war ein grausiger Anblick, das Gebiß bis nach hinten offen zu sehen. Der Hund war bei der stürmischen Fahrt über den Steilhang gestürzt und dabei mit dem Schädel unter eine der eisenbeschlagenen Kufen geraten.

Er wühlte mit der blutigen Schnauze im Schnee, um die Wunde zu kühlen, gab aber keinen einzigen Klagelaut von sich.

Hier unten hatten der Wind und der Schneefall etwas nachgelassen. Durch das trübe Wetter wurde es aber früh dunkel. Noch waren wir in einem Hochtal und sahen weit draußen als graue Fläche den zugefrorenen Fjord und das Eis des Polarmeeres. Von der Rathbone-Insel aber, unserem heutigen Ziel, war nichts zu sehen.

Sie wurde vom Nebel und der Dämmerung verschluckt.

Aus dem Hochtal leitete uns ein flacher Gletscher abwärts zum Fjord. Nach einiger Zeit wurde er steiler und rauher und lag schließlich wie zerknittertes Stanniolpapier vor uns: blankgefegte Eisrücken, verschneite Spalten und geborstene Blöcke; ein Eisbruch nach alpinem Muster, der uns schwer zu schaffen machte. Immer wieder mußten wir den festgefahrenen Schlitten freiheben, den Hunden helfen und dabei aufpassen, daß wir nicht selbst in eine der verdeckten Spalten fielen.

Als wir das Fjordufer erreichten, war es finster. Wir saßen auf und fuhren hinein in diese Finsternis. Kristian wird wohl wissen, wohin er steuert, dachte ich. Vielleicht sah er mit seinen an die Dunkelheit besser gewöhnten Augen mehr als ich. Für mich jedenfalls bestand die Welt aus Nacht und Nebel, mein Horizont endete wenige Meter vor den Hunden an einer schwarzen Mauer.

Wir mögen eine Stunde gefahren sein, da starrte ich in die Dunkelheit vor mir: was war das? Ein Licht? Narren mich meine Sinne? Da, jetzt wieder – an anderer Stelle. Glühwürmchen vor der Ostküste Grönlands? Leide ich an Halluzinationen, oder ist das der Beginn des Polarkollers? Ich komme mir allerdings ganz vernünftig vor. Aber sieht nicht jeder Irre in seiner Umgebung die Narrheit und nie bei sich selbst? Da ist es wieder. Flammt auf und ist weg. Der Teufel hol diesen ganzen Spuk! Ich will nicht überschnappen. Hier auf dem Polarmeer schon gar nicht. Oder bin ich es bereits, weil ich im Winter allein nach Grönland ging? Bleibt um diese Zeit nicht jeder vernünftige Mensch im Schutz der Zivilisation, in der Geborgenheit seiner zentralgeheizten vier Wände? War es nicht eine Herausforderung, einen Winter in Grönland verbringen zu wollen? Während ich so sinniere, wendet sich Kristian um: »Inuit!« sagt er und zeigt mit der Hand nach vorne, in Richtung der Glühwürmchen.

»INUIT?« frage ich, »Menschen?« Und bin wie aus allen Wolken gefallen.

Es war ein ungewöhnliches, fast abenteuerliches Zusammentreffen: aus der Dunkelheit und dem leichten Schneefall lösten sich zwei Gestalten. Die Männer plauderten und rauchten, das Aufglimmen ihrer brennenden Zigaretten waren meine Glühwürmchen. Es waren Jäger aus Kap Hope, die ebenfalls zur Rathbone-Insel wollten. Zwischen den Eisblökken lagen ihre Schlitten. Die Hunde hatten ihre Schädel in den buschigen Schwänzen vergraben und dösten. Wir hielten unser Gespann vorzeitig an, damit es nicht zu der üblichen Rauferei kam. Nachdem wir alle noch eine Zigarettenlänge beisammen gestanden hatten und die Männer, wie es schien, sich über die einzuschlagende Richtung unterhalten und später auch geeinigt hatten, ging jeder wieder zu seinem Gespann und ordnete die Seile. Die Hunde konnten den Aufbruch nicht erwarten. Jedes Gespann wollte das erste sein.

War die Fahrt über das Gebirge auch nicht gerade eine Heurigenpartie, so war sie doch ein Kinderspiel gegen das, was jetzt kam.

Der Schlitten flitzte über den Schnee, holperte über eingefrorene Eistrümmer, plumpste von einer Kufe auf die andere und bohrte sich in einen Eisblock. Kristian und ich flogen nach vorn und klammerten uns am Schlitten fest, damit uns die Hunde mit dem Gespann nicht zum Teufel gingen.

Hier war die Oberfläche des Fjordes besonders rauh.

Eistrümmer und Schollen lagen wirr durcheinander und bildeten ein förmliches Chaos. Immer wieder mußten wir absteigen und den festgefahrenen Schlitten freiheben. Kaum aber war der Schlitten frei, sausten die Hunde los, und wir mußten schauen, wie wir mitkamen. Ein Hechtsprung quer über den holpernden Schlitten war stets die einzige Rettung. Wehe, wer in einem solchen Fall den Schlitten verfehlt!

In der Finsternis fluchte ein Hundeführer. (In Grönland sagt man, daß Flüche bei Hundeschlittenreisen beim Jüngsten Gericht nicht zählen!)

Kurze Zeit später schob sich knapp an unserem Schlitten ein anderes Gespann nach vorne. Ich saß seitlich auf dem Schlitten und hatte die fremden Hunde zum Greifen nah vor mir. Ja, ich mußte sogar meine Beine einziehen, um ihnen Platz zu machen. Kristian feuerte unsere Hunde an, der andere die seinen. Keiner wollte nachgeben. Manchmal schien es, als ob die fremden Hunde und, überholen würden, dann aber fielen sie wieder zurück und rannten in unserer Spur.

So wogte der Kampf hin und her. Plötzlich zogen die fremden Hunde wie aus der Pistole geschossen an uns vorbei. Und dabei geschah das Unerwartete: ein harter Stoß traf von hinten unseren Schlitten, ein stechender Schmerz durchzuckte meinen Rücken, und im selben Moment schob sich eine mächtige, eisenbeschlagene Schlittenkufe vor meine Brust.

Was war geschehen?

Unser Gespann wurde langsamer, die fremden Hunde sprangen aus der Spur, überholten uns, und dabei prallte ihr Schlitten mit voller Wucht von hinten auf unseren Schlitten auf. Ein Krach – und zwei schwere Kufen stürzten auf mich. Die eine zerfetzte meine Pelzjacke und zog mir die Haut vom Rücken, die andere schob sich vor meine Brust. Da saß ich nun, eingezwängt von den Schlittenkufen, wie zwischen den Puffern eines Eisenbahnwaggons, und konnte mich nicht rühren.

Die Schlitten stoppten. Sogleich stürzten sich die beiden Hundegespanne in blinder Wut aufeinander, und ehe noch jemand eingreifen konnte, war eine wilde Rauferei im Gange. Die beiden Grönländer sprangen ab, trennten mit Flüchen und Fußtritten die Hunde, zerrten die Schlitten auseinander, und schon im nächsten Moment war das fremde Gespann wieder in der Finsternis verschwunden.

Ich saß noch immer auf dem Schlitten. Mit einem Schreck in den Gliedern. Über meinen Rücken spürte ich etwas Warmes rieseln, das von der Unterwäsche aufgesaugt wurde. Nun erst kam es mir zum Bewußtsein, was hätte geschehen können: nur wenige Zentimeter weiter seitlich, und die schwere, eisenbeschlagene Kufe wäre mir zwischen die Rippen gefahren, oder die andere hätte mir die Wirbelsäule gebrochen.

Und das alles mitten in der Nacht auf dem Polarmeer vor Grönlands Küste.

Ach, diese Hundeschlittenreisen! Wer sie mit der Romantik von trabenden Pferden und klingenden Schellen, mit einem Wintermärchen in Verbindung bringt, der irrt. Gewaltig sogar.

Hundeschlittenreisen haben viele Gesichter.

Es ist ein Unterschied, ob man am hellen Tag oder in der Dunkelheit der Polarnacht reist, ob die Hunde unbekümmert in einer ausgefahrenen Schneespur über dickes Küsteneis laufen oder über eine hauchdünne, schwankende Neueisdecke am Rand des offenen Wassers tänzeln und dabei immer wieder ausgleiten und hinfallen. Und schließlich gibt es noch Verhältnisse, die einem bei minus 40 Grad den Schweiß und die unbändigsten Flüche entlocken: grundloser Neuschnee oder wild aufgetürmtes Packeis.

Bei Tag kann man noch einigermaßen abschätzen, was auf einen zukommt. In der Nacht aber kommt alles überraschend und blitzschnell. Noch ist der Schlitten in voller Fahrt, da plötzlich bohren sich die Hörner in einen Eisblock, und man fliegt nach vorne. Oder man fährt auf eine Eisscholle auf, sie bricht, und der Schlitten klatscht aus der Höhe herab wie ein flügellahmes Flugzeug, daß man meinen möchte, alles müßte in Trümmer gehen: das Eis, der Schlitten und die Knochen. Das mannsdicke Eis hält es aus, der einige hundert Kilo schwere Schlitten ebenfalls – doch die Knochen drohten mir manchmal zu zersplittern. Ich war nach einem langen Reisetag jedesmal wie gerädert. Als ob ich zwölf Stunden lang einen wilden Mustang zugeritten hätte, so schmerzten mir alle Muskeln, so durchgerüttelt war ich. Von den blauen Flecken und den gefrorenen Stellen im Gesicht und an den Händen gar nicht zu reden.

Wie spät es wohl gewesen sein mag?

Ich hatte keine Zeitvorstellung mehr. Ich wußte nur, daß es schon viele Stunden finster war. Längst hatten wir jeden Kontakt mit den beiden Jägern von Kap Hope verloren. Kristian und ich waren wieder allein.

Das Eis war so rauh, die Schlittenbahn so schwer, daß jeder für sich schauen mußte, wie er durchkam. Es war, als ob die mächtige Eisdecke durch submarine Eruptionen geborsten und die Schollen wirr durcheinandergeworfen worden wären. Anscheinend hatte im Herbst ein gewaltiger Sturm das ganze Treibeis in diesem Fjord zusammengepackt, und so war es dann durch die Winterkälte gefroren.

Unsere Hunde waren schon merklich müde. Auch wenn die Bahn einmal eben und glatt war, rannten sie nicht mehr so schnell wie vorher. Kristian ließ die fünf Meter lange Peitsche aus Walroßriemen über ihre

Köpfe sausen. Diese Peitsche fürchten alle Hunde. Sie kann in den Händen der Grönländer zur gefährlichen Waffe werden.

Unser Schlitten kam wieder in Fahrt. Es rüttelte mir die Eingeweide durcheinander. Ich klammerte mich an den Holmen fest. Doch was half das alles. Schon im nächsten Moment bohrten sich die Kufen in ein Hindernis.

Kristian und ich flogen nach vorn und kippten seitlich vom Schlitten. Am Grund einer Spalte fanden wir uns wieder. Ich blickte hinauf und sah den Schlitten als dunkle Brücke über mir. Dazwischen baumelten drei Hunde an ihren Seilen, winselten und heulten, daß es mir durch Mark und Bein ging.

Wir kletterten an die Oberfläche, zerrten die Hunde aus der Spalte, hoben den Schlitten heraus und warfen uns mit dem üblichen Hechtsprung quer darüber.

Da lag ich nun und starrte nach vorne.

Es war mir, als ob die Dunkelheit vor uns Gestalt annehmen würde. Auch das zerklüftete, aufgerissene Eis um uns ließ die Nähe der Küste vermuten. Immer war das Eis in Ufernähe durch die Gezeitenspalten am stärksten verworfen. Das also mußte die Rathbone-Insel sein. Wir stiegen vom Schlitten, halfen den Hunden die steile Böschung hinauf und über eine abgewehte Blockhalde hinweg.

An den Fuß eines Abhanges geschmiegt, stand eine winzige Hütte. Wir entluden den Schlitten und steckten den Hunden wie üblich eine Vorderpfote durch das Brustgeschirr, um sie an der Flucht zu hindern.

In der winzigen Fangsthütte herrschte bereits gute Stimmung. Auf dem Tisch brannte eine Kerze und summte der Petroleumkocher. Die ganze Atmosphäre erinnerte mich an eine unserer hochgelegenen Notunterkünfte in den Alpen. Auf der schmalen Holzpritsche entlang der Seitenwand saßen die zwei wild aussehenden Männer aus Kap Hope und blickten erwartungsvoll und hungrig auf den Fleischtopf. Ihre geflickten und verschmierten Anoraks konnten es mit den Kleidungsstücken unserer alpinen »Bergvagabunden« aufnehmen. Ihre dunklen mongoloiden Schlitzaugen aber und das glatte schwarze Haar, das ihre breiten Gesichter einrahmte, gaben ihnen ein exotisches Aussehen. Verstärkt wurde dieser fremdländische Eindruck noch durch die an den Wänden hängenden Gewehre und einige schwarze zottige Moschusfelle auf dem Boden.

Im Kochtopf brodelte die dunkelbraune Brühe und erfüllte den kleinen Raum mit dem herrlichen Duft von kochendem Fleisch. Mit dem Taschenmesser holte sich jeder die wohlschmeckenden Fleischstücke aus dem Topf. Doch das Fleisch war zäher, als ich erwartet hatte. Was mag es wohl gewesen sein? Für einen Seehund war es zu grob, zu mager und zäh. Sollte es etwa ein alter Walroßbulle sein?

Meine eskimoischen Freunde säbelten nach altem Brauch mit ihren scharfen Messern jeden Bissen vor dem Mund ab, während ich es vorzog, die Fleischstücke auf dem Tisch zu zerschneiden, da ich nicht Gefahr laufen wollte, mir meine Nasenspitze wegzuschneiden.

Dazu tranken wir die dunkle, dickflüssige Brühe. Ihr Geschmack war sehr intensiv und erinnerte mich an unverdünnte Suppenwürze. Diese Blutsuppe hatte etwas Anregendes an sich, an das ich mich bei jeder Mahlzeit erst wieder gewöhnen mußte.

Meine grönländischen Freunde allerdings tranken zum Essen auch Unmengen Eiswasser.

Nachdem der Fleischtopf leer und die Suppe ausgetrunken war, lehnte ich mich zurück und klopfte mir auf den Bauch:

»Mamaqaoq!« – »Vollgefressen!« sagte ich und rülpste wie ein Walroß. »Mamaqaoq«, sagten auch die Grönländer und wischten sich mit dem Handrücken den fettigen Mund ab. Der Gedanke an das Fleisch, das wir soeben gegessen hatten, ließ mich nicht ruhen.

»Piusse?« – »Seehund?« fragte ich und machte das Zeichen des Essens.

»Ikke Piusse – Nanoq!« antwortete Kristian, der meine Frage am schnellsten begriffen hatte.

»I, I Nanoq!« bestätigten auch die anderen.

Oh, du lieber Himmel – also doch Nanoq, – ein Eisbär.

Und dabei hatte ich mir vorgenommen, in meinem Leben keinen Bissen Eisbärfleisch mehr zu essen.

Ich stand auf, breitete mein Moschusfell auf dem Boden aus und kroch in meine beiden Daunenschlafsäcke. Ich war müde und wollte schlafen. Doch der Gedanke an das Eisbärfleisch ließ mich nicht zur Ruhe kommen. Ich mußte dauernd an meine erste Begegnung mit dieser »arktischen Spezialität« denken: Es war im Sommer 1967.

Er war ein alter, zäher Bursche und wurde von Finn Kristofersen auf Kap Steward erlegt. Da Finn mit einem Kutter unterwegs war, nahm er den Eisbären ins Schlepptau und brachte ihn in die Siedlung Scoresbysund. Dort wurde er auf eine Felsplatte gehievt und geflenst, das heißt aufgebrochen. Natürlich unter Beteiligung der ganzen Jugend. Alle waren sie dabei, die kleinsten, rotznäsigen Knirpse genauso wie ihre größeren Geschwister. Die einen krochen auf allen vieren in den steilen Uferfelsen herum, die anderen produzierten sich aufrecht. Der Anblick erinnerte an einen Affenfelsen im Zoo. Daß keiner von ihnen ins Wasser gefallen ist, erscheint mir heute noch wie ein Wunder.

Aber auch alte, erfahrene Jäger waren anwesend.

Mit Kennerblicken musterten sie den Bären und sein Fell, legten ihn sorgfältig auf den Rücken und hielten ihn an den Läufen fest. Dann wetzte der älteste Fangstmann umständlich sein Jagdmesser, prüfte mit dem Daumen die Schneide und schlitzte dem Bären den Bauch auf.

Es war wie eine sakrale Handlung. Nach ihm schärfte ein anderer sein Messer, prüfte ebenfalls die Schneide und schlitzte die vier Pfoten auf. Nachdem der Eisbär aus der Decke geschlagen und zerlegt worden war, erhielten alle umherstehenden Erwachsenen ein Stück Fleisch. Auch ich bekam meinen Teil und kehrte als stolzer Besitzer von gut zwei Kilo Bärenfleisch in mein Zelt zurück. Da ich ohne jeden Proviant nach Grönland gekommen war und mich ausschließlich von den Produkten des Landes nährte, bedeutete dieser Bärenschinken nicht nur eine angenehme Abwechslung, sondern auch eine wertvolle Bereicherung meiner Speisekammer.

Als ich ins Zelt zurückkam, war es spät am Nachmittag, und ich hatte an diesem Tag noch nichts gegessen. Ich konnte es nicht erwarten, bis das Bärenfleisch auf meinem Benzinkocher gar war, und schnitt noch während des Kochens Bissen um Bissen herunter. Gierig stopfte ich das halbrohe Fleisch in mich hinein. Ich wußte zu jener Zeit noch nicht, daß die meisten Eisbären trichinenverseucht sind. Überhaupt hatte ich keine Ahnung, wie gefährlich der Genuß trichinösen Fleisches für den Menschen sein kann.

Jedenfalls werde ich das Häuflein Elend nie vergessen, das zwei Tage später im Frachtraum der »ENTALIK« auf einem Bündel öliger, stinkender Lumpen lag: von Schmerzen gekrümmt, von Fieber gepeinigt, vom lekkenden Boot durchnäßt und vor Kälte zitternd, glich dieses stöhnende Knäuel eher einem weidwunden Tier als einem Menschen. Ein Schüttelfrost nach dem anderen durchbebte meinen Körper, und in den Gedärmen brannte ein Feuer, das mich immer wieder die Leiter hochjagte und im Laufschritt das Heck des Bootes erklimmen ließ, wo ich das Bärenfleisch den Fischen opferte.

Natürlich wäre es besser gewesen, ich hätte diese Fahrt mit der »ENTALIK« nicht mitgemacht. In meinem Zelt, auf festem Boden, hätte ich diesen Zustand leichter ertragen als auf dem schwankenden, kleinen Kutter. In der Siedlung hätte ich auch mehr Hilfe erwarten können. Aber ich wollte die Gelegenheit, in den innersten Föhnfjord zu kommen, auf keinen Fall versäumen. Also riß ich mich zusammen und ließ mir meine Übelkeit vor der Abfahrt nicht anmerken.

Kaum aber waren wir einige Stunden auf See, verschlechterte sich mein Zustand sichtlich.

Ich kam mir vor wie ein Vulkan: Eruptionen überall!

Entweder hing ich vornübergebeugt an der Reling oder saß rücklings auf dem Heck. Ich versuchte zu essen, um nicht ganz von Kräften zu kommen. Gekochten Seehund, sonst gab es nichts an Bord. Eisbär und Seehund aber rauften in meinem Magen, und es kam wieder zu den üblichen Ausbrüchen. Ich verlor zusehends an Kraft und war am dritten Tag schon so schwach, daß mich bei meinen Opfergängen zwei Mann halten mußten, damit ich nicht über Bord fiel.

Wie lange dieser Zustand angehalten hat, weiß ich heute nicht mehr. Ich weiß nur, daß ich nach Tagen aus dem naßkalten Frachtraum in die winzige Kajüte übersiedelte und dort auf der schmalen Holzpritsche mit dem jeweils dienstfreien Eskimo Kopf bei Fuß unter einer Decke lag. Diese Holzpritsche glich in ihren Maßen und ihrer Konstruktion eher einem Sarg ohne Deckel. Aus Platzersparnis lag ich hochkant und mußte mit dem Umdrehen immer bis zur nächsten Wachablösung warten.

Und doch – verglichen mit dem naßkalten Frachtraum war diese Holzpritsche wie ein Himmelbett für mich. Auch an die fremden nackten Füße vor meinem Gesicht gewöhnte ich mich bald.

Mein Zustand besserte sich langsam, als wir im innersten Föhnfjord an Land gingen. Hier feierten meine grönländischen Freunde mit einem frisch erlegten Seehund wahre Freßorgien, während ich mich immer noch durch das Leben hungerte.

Obgleich der trichinenverseuchte Bärenschinken von mir längst schon in alle Wasser des Scoresbysund verstreut und mein Magen leer wie ein geplatzter Luftballon war, behielt ich nichts bei mir.

Erst als wir in den nächsten Tagen unseren Speisezettel durch zarte Lachse und einige Wildgänse bereicherten, konnte ich meinen Magen einigermaßen versöhnen.

Langsam ging es wieder aufwärts. Mit den Kräften und der Stimmung. Bärenfleisch aber hatte ich seit jenem Sommer keines mehr gegessen.

In der Erinnerung an mein erstes Bärenfleischgelage und dessen üble Folgen muß ich eingeschlafen sein.

Als ich einige Stunden später erwachte, saßen die drei Grönländer immer noch am Tisch. Sie rauchten, tranken Eiswasser und plauderten. Wie ich ihren Gesten entnehmen konnte, unterhielten sie sich über die Jagd. Es mußte schon spät sein. Der Kerzenstummel am Tisch war fast abgebrannt, er flackerte in der Zugluft und warf tanzende Schatten in den Raum.

Mittlerweile war auch Sturm aufgekommen. Bö um Bö stürzte sich auf unsere kleine Hütte, rüttelte sie durcheinander und entschwand in der Unendlichkeit des Polarmeeres. Von draußen drangen immer wieder die Klagelieder der Hunde herein. In diesem auf- und absteigenden Geheul glaubte ich die ganze Tragik und Entbehrung eines Polarhundelebens zu vernehmen.

Ich war müde.

Mit einem leisen Frösteln kroch ich tiefer in meine beiden Daunensäcke hinein. Um vom flackernden Kerzenschein nicht gestört zu werden, drehte ich mich zur Wand und lauschte noch eine Weile den fremden Geräuschen: den gutturalen Lauten der Eskimosprache, dem herzzerreißenden Crescendo der Hunde und den harten Stößen der Sturmböen.

Es wurde eine unruhige Nacht. Immer wieder wurde ich aus dem

Schlaf gerissen. Einmal von dem Geheul eines Hundes, dann wieder von einer besonders heftigen Sturmbö, die sich wie ein wilder Büffel auf unsere Hütte stürzte und unter dem Fußboden hindurchraste. Unsere Behausung stand nämlich auf vier Pfählen einen Meter über dem Boden, so daß ich wie über einem Windkanal schlief.

Gegen Morgen wurde die Kälte beißender und mein Schlafsack durch den Atemhauch immer stärker von Rauhreif und Eis überkrustet. Unruhig wälzte ich mich auf dem Fußboden herum und wartete sehnsüchtig auf den ersten grauen Schimmer des neuen Tages. Unendlich langsam sickerte das Licht durch das winzige Fenster der Hütte.

Endlich rührte sich einer der Grönländer. Er reckte und streckte sich, gähnte und grunzte wie ein waidwund geschossener Seelöwe. Das war der Weckruf auch für die beiden anderen. Sie richteten sich in ihren Schlafsäcken auf, und spontan begann ein dreistimmiges Husten- und Räusperkonzert, so daß die kleine Fangsthütte einer Lungenheilstätte glich. Als sie ihre rauhen Kehlen einigermaßen freigeräuspert hatten und sich der Hustenreiz gelegt hatte, griffen sie wieder zu ihren kurzen Stummelpfeifen und qualmten wie drei Dampflokomotiven auf einer Bergstrecke. Kristian war der erste, der sich aus seinem Berg von Moschusfellen herausschälte und aufstand. Er zündete den Petroleumkocher an und verpestete damit die Luft so sehr, daß ich auch einen Hustenanfall bekam. Einer der beiden anderen Grönländer ging hinaus und holte Schnee zum Schmelzen, der dritte hackte vom gefrorenen Seehundkadaver, der neben der Tür lag, einige Brocken ab.

Zum Frühstück gab es Neskaffee, gekochte Rippenstücke vom Seehund, und als Abschluß tranken wir die dunkelbraune, fette Fleischbrühe.

Es war schon spät am Vormittag, als wir vor die Hütte traten. Immer noch raste der Sturm über die Insel und peitschte den Schnee vor sich her. Wolken und Nebelfetzen jagten über den Fjord und ließen die umliegenden Berge nur schemenhaft erscheinen. Das Land glich einer Mondlandschaft. Und in dieser grauen Trostlosigkeit standen vier Männer, die einzigen Menschen weit und breit. Wie immer in solchen Situationen, drängte sich mir auch jetzt wieder die Frage auf: Wie konnte der Mensch sich diese trostlose Einöde als Lebensraum wählen? Wie genügsam müssen diese Menschen gewesen sein, daß sie sich hier über Jahrtausende behaupten konnten? Und wie erfindungsreich dazu! Hatten sie doch bis vor einem Menschenalter nichts anderes an Rohstoffen als Steine und Knochen, Sehnen und Felle, und nur gelegentlich wurde mit dem Ostgrönlandstrom ein Baumstamm aus den Wäldern Sibiriens als Treibholz angeschwemmt. Welchen Reichtum mag wohl bis vor kurzem ein Stück Holz an dieser Küste dargestellt haben? Eine Zeltstange etwa oder ein Harpunenschaft?

Während ich mich mit solchen Gedanken beschäftigte, wurden rings um uns die Hunde lebendig. Sie schüttelten sich den Schnee aus dem dichten Pelz, reckten und streckten sich, sie heulten und winselten, zerrten an den Leinen, richteten sich dabei mannshoch auf und standen mit einer improvisierten »Hundelevade« auf den Hinterbeinen. Zwischendurch verrichteten sie ihr Morgengeschäft.

Was ließ sie so freudig winseln? War es Arbeitslust, suchten sie menschlichen Kontakt oder erwarteten sie einen Happen Fleisch? Da sie gestern vor der Abfahrt in Scoresbysund gut gefüttert worden waren, war heute für sie Fasttag.

Noch wußte ich nicht, ob wir bei diesem Wetter überhaupt auf Jagd fahren würden. Ich wandte mich daher an Kristian, fragte ihn kurzerhand: »NANOQ? Eisbär?« und machte das Zeichen des Schießens.

»I, I, NANOQ IMERA«, antwortete er, zeigte mit der Hand hinaus auf den Fjord und weiter auf das Polarmeer. Wir fahren also trotz des Sauwetters. Na ja, mir soll's recht sein, dachte ich mir und zog die Pelzkapuze meiner Parka über den Kopf. Ich wußte, daß wir nicht zu einem Sanatoriumsaufenthalt auf die Rathbone-Insel gekommen waren, und mußte daher auch damit rechnen, daß wir bei jedem Wetter auf Jagd fahren würden. Außerdem wollte ich unter allen Umständen Bilder einer Eisbärenjagd nach Hause bringen.

Da wir kaum annehmen konnten, daß uns ein Bär in der Fangsthütte besuchen würde, mußten wir versuchen, ihn draußen auf dem Polarmeer aufzustöbern.

Wir beluden die Schlitten mit Fellen, Kochausrüstung und Gewehren und nahmen sicherheitshalber noch eine alte Fetzenburg als Zelt mit.

Und dann ging's los!

Die drei Gespanne jagten einander und wetteiferten um die Führung. In der ersten Zeit war die Schlittenbahn gut, und die Hunde waren ausgeruht. Wir hielten uns immer hart der Küste entlang, fuhren in Buchten und Fjorde und hofften, den »Weißen König der Arktis« irgendwo aufzustöbern. Jedes Gespann hatte gleich zu Beginn der Fahrt seinen schärfsten Eisbärhund freigelassen. Diese drei Hunde strolchten kreuz und quer über den Fjord. Wir sahen sie oft lange Zeit nicht, bis einer irgendwo auftauchte und gleich darauf in den aufgeworfenen Packeismassen wieder verschwand.

Während unsere Hunde sich mit der Schnauze am Boden durch den Schnee wühlten, suchten wir mit unseren Ferngläsern den Fjord und das Polarmeer ab. Um einen weiteren Horizont zu haben, kletterten wir einigemal die verschneiten Uferfelsen der Rathbone-Insel empor. Doch es war immer das gleiche Bild: aufgeworfene Packeismassen, eingefrorene Eisberge, Nebelfetzen und Schneewolken, vom Sturm gepeitscht, über den Fjord jagend. Aber nichts Lebendes war zu sehen. Kein Vogel, keine Maus. Das Land schien ausgestorben. Wir waren hier weit vom offenen Wassergürtel des Scoresbysund entfernt. Es bestand daher nicht die geringste Aussicht, unseren knappen Fleischvorrat etwa durch einen Seehund oder eine Robbe aufzustocken.

In den ersten Stunden waren wir mit dem Wind im Rücken den Fjord auswärts gefahren. Nachdem wir die äußerste Spitze der Rathbone-Insel umrundet hatten, mußten wir bei der Heimfahrt gegen den Wind ankämpfen. Das war hart. Außerdem machten sich bei mir schon der Hunger und die Kälte bemerkbar. Und während ich auf dem Schlitten hinter Kristians Rücken vor dem beißenden Wind Schutz suchte, überkam mich so etwas wie Resignation: wieder ein Tag ohne Eisbärbilder, ohne spannende Jagderlebnisse. Aber war es deshalb ein verlorener Tag?

Bin ich nicht undankbar dem Schicksal gegenüber?

War es nicht ein Leben lang mein sehnlichster Wunsch, mit Eskimos in Grönland Hundeschlittenreisen zu unternehmen? Und jetzt erlebe ich diese Fahrten in allen Variationen, in Sonnenschein und Schneesturm, auf dem Polarmeer und im Gebirge – und nur weil uns heute kein Eisbär über den Weg lief, möchte ich resignieren?

Zugegeben, ich habe wieder keine Bilder von spannenden Kämpfen mit

Eisbären geschossen, dafür aber die harte Wirklichkeit eines erfolglosen Jagdzuges kennengelernt.

Müde, hungrig und durchfroren kamen wir bei Einbruch der Dunkelheit wieder zu unserem Refugium, der kleinen Fangsthütte auf der Rathbone-Insel, die wir am Vormittag verlassen hatten.

Noch in derselben Nacht steigerte sich der Sturm zum Orkan.

Und in dieser winzigen Fangsthütte liegen wir nun bereits seit fünf Tagen. Mein Moschusfell ist längst am Boden angefroren, und an den Wänden hängen glitzernde Eiskristalle. Ich drehe mich zur Wand und versuche zu schlafen. Doch es ist unmöglich, ich bin längst schon »überschlafen«. Ich liege bereits seit 36 Stunden im Schlafsack und gehe nur zum »Allernotwendigsten« vor die Hütte. Aber selbst dieses »Allernotwendigste« wird bei diesem Wetter zum gefährlichen Abenteuer. Es wird zu einem Kampf mit dem Sturm und mit meinen vier Hosen. Als ich letzte Nacht von einem solch unvermeidlichen Unternehmen wieder in die Hütte kam und den Flugschnee aus meinen Hosen putzte, fragte mich Kristian: »NANOQ?« »Eisbär?«

»IKKE NANOQ, NANOQ SOVE!« »Kein Eisbär, Eisbären schlafen«, sagte ich mit gespieltem Groll.

»NANOQ IKKE SOVE!« »Eisbären schlafen nicht«, protestierte Kristian und lachte über das ganze Gesicht.

Seither gehört dieser kleine Dialog zum festen Bestandteil unserer spärlichen Unterhaltung. (Selbst heute noch beende ich jeden Brief und jede Ansichtskarte an Kristian mit den Worten: »NANOQ SOVE!« und prompt antwortet er mit: »NANOQ IKKE SOVE!«)

Was sind doch die Gedanken für herrliche Brücken von der Gegenwart in die Vergangenheit oder Zukunft oder von der rauhen Wirklichkeit in die farbenprächtige Welt der Träume. In »Gedankenschnelle« überwinden sie Raum und Zeit und plötzlich, ohne daß man es gewahr wird, wandert man mit ihnen über einen heißen Strand, sucht Abkühlung in den Fluten und legt sich dann wie alle anderen Hunderttausend auch, zum Grillen in die Sonne.

Oder – wie herrlich ist es doch, seiner Phantasie die Zügel schießen zu lassen und dabei die Wirklichkeit zu vergessen! Besonders wenn die Wirklichkeit rauh und hart ist. Wie leicht setzt man sich auf den Flügeln seiner Phantasie über alle Erdenschwere hinweg, wandert durch blumenübersäte Wiesen, erfreut sich an deren Farbenpracht und ist im nächsten Moment schon wieder in Acapulco oder in Hawai, am Mond oder einem fernen Spiralnebel! Der Phantasie sind keine Grenzen gesetzt, höchstens die Grenzen der eigenen Intelligenz.

Wie armselig ortsgebunden ist dagegen der Körper! Da liege ich auf einem stinkenden Moschusfell in einer gottverlassenen Hütte in der Arktis und kann nicht einmal vor die Tür. Draußen orgelt und tanzt der Sturm um die Hütte und duldet kein menschliches Wesen. Irgend etwas reißt mich aus meinem Traum. Ein fremder Laut. Ein wolfsähnliches Geheul. Es dauert geraume Zeit, bis ich begreife, daß es die Hunde sind, die draußen im Schneesturm liegen. Während ich mich tiefer in meine Schlafsäcke verkrieche, schiebe ich die Gedanken an die Gegenwart wieder beiseite. Imera! Upa! Ich halte es mit den Eskimos.

Was kümmert mich das Heute – was das Morgen oder Übermorgen! Statt dessen spiele ich mit meiner Phantasie wie ein Kind mit seinem Teddybären vor dem Einschlafen, und gütig senkt sich die Erinnerung an einen lauen Sommerabend über meine Sinne. Ich liege im duftenden Gras, schau den hellen Wolken zu, die über den Himmel eilen, und, ohne daß ich weiß, woher es kommt, beugt sich ein geliebtes Wesen über mich. Ich spüre den zarten Duft seiner Haare, die locker und seidig auf mich fallen, fühle den Hauch seiner Lippen und versinke in einen Ozean von Küssen.

Ein Schauer durchbebt mich.

Nein – kein Schauer des Glücks – es ist Schüttelfrost. Es ist die Kälte, die durch alle Hüllen dringt und sich langsam bis zum Herzen frißt. Ich drehe mich auf die andere Seite, streiche mir die zottigen, von Schmutz verklebten Haare des Moschusfelles aus dem Gesicht; fahre mit dem Handrücken über die aufgesprungenen Lippen und habe den Geschmack von Seehundspeck und Tran im Mund, der sich in meinem wildwuchernden Bart festgesetzt hat.

Neben mir liegen die anderen Jäger. Es sind harte, rauhe Burschen.

Menschen, die in dieses Land passen, aber nicht mit dem Maßstab unserer Zivilisation zu messen sind. Ihr Atem geht rauh und schwer vom vielen Rauchen. Wie beruhigend ist es doch, solche Männer als Freunde zur Seite zu haben und mit ihnen schicksalhaft verbunden zu sein.

Und wenn ich jetzt die Wahl hätte, als einer von Hunderttausenden an einem heißen Strand in der Sonne zu schmoren oder hier, in dieser weltvergessenen Fangsthütte, von Hundefutter zu leben, ich glaube, ich würde mich ohne zu zögern wieder für die einsame Fangsthütte entscheiden. Der eskimoischen Freunde und des einfachen Lebens wegen. Und natürlich auch aus Lust am Abenteuer, die wohl allen Bergsteigern im Blut sitzt.

Der Hexentanz des Sturmes wird wilder, heftiger. Dazwischen heulen ein paar Hunde. Träumen sie von einer Bärenjagd oder von fetten Seehundkadavern?

Langsam haben sich meine Gedanken müde gewandert. Wohltuend senkt sich der Schlaf über mich und läßt mich für einige Zeit die harte Wirklichkeit vergessen.

Heute endlich, am sechsten Tag unserer Gefangenschaft, läßt der Sturm etwas nach, und wir sehen erstmals wieder die Umrisse der nächstliegenden Inseln aus dem Nebel ragen. Kristian und die beiden Jäger aus Kap Hope machen sich fertig zur Jagd. Sie wollen den steilen Hang hinter der Hütte ansteigen, hinauf zur Hochfläche der Rathbone-Insel, um vielleicht oben, in dem vom Sturm abgeblasenen Gelände, etwas Jagdbares vor die Flinte zu bekommen.

Wir haben sechs Tage lang von Hundefutter gelebt.

Seit gestern ist auch das zu Ende. Jetzt haben wir nur mehr ein Glas Neskaffee, etwas Tee und Zucker und einen halben Kanister Petroleum.

Kristian macht mir klar, daß ich hierbleiben soll. Wahrscheinlich haben die Männer Sorge, daß ich ihnen beim Anpirschen die Beute vertreiben könnte. Jedenfalls lassen sie mir eine Flinte hier, legen zwei Schachteln Patronen auf den Tisch und zeigen mir die Reihenfolge der vier Hunde, die ich nacheinander ablassen müßte, falls sich ein neugieriger »Nanoq«, ein Eisbär, in der Nähe zeigen sollte. Es sind zwei Hunde aus dem Gespann von Kristian und je einer von den beiden anderen Schlitten.

Natürlich sind es die vier kräftigsten, schärfsten Hunde, die ich dem Bären auf den Pelz hetzen müßte.

Ich als Bärenjäger! Da würde wohl der griesgrämigste Bär einen Lachkrampf bekommen! Trotzdem gehe ich vor die Hütte, suche mit dem Glas die Umgebung ab und bereite mich im Geiste auf einen dramatischen Kampf vor.

Spät am Nachmittag kommen die drei Jäger wieder heim. Ergiebig war die Jagdbeute wahrlich nicht: ein Polarhase und ein Schneehuhn, das ist alles, was sie mitbringen. Der Hase ist nach dem langen Winter spindeldürr und zäh, und das Schneehuhn gleicht, nachdem der Federbalg abgezogen ist, eher einem Spatz, so daß ich an diesem Abend mit knurrendem Magen in den Schlafsack krieche.

Wie saftig war dagegen der alte Seehundkadaver, den wir in den letzten Tagen den Hunden weggegessen hatten!

Kristian hat aber doch etwas für uns sehr Wertvolles mitgebracht: einen Armvoll trockenes Gras, das der Sturm auf der Hochfläche der Insel freigeweht hat. Nun kann ich wieder einmal meine »Heustadeln« frisch füllen. In der nächsten Stunde sind wir beide damit beschäftigt, das alte zusammengetretene Heu aus unseren Stiefeln zu entfernen und eine neue Lage fein säuberlich gebündelt hineinzulegen. Kristian macht das keinerlei Schwierigkeiten, da er gute Kamikker mit Außen- und Innenstiefeln hat und das dürre Gras als Isolation dazwischen legt.

Schwieriger ist die Sache bei mir.

Ich habe mir vorige Woche im Packeis des Scoresbysund das Oberleder von meinem linken Stiefel von der großen Zehe bis nach hinten zum Absatz aufgerissen, so daß die ganze Innenseite wie das Maul eines gierigen Haies aufklappte. Um die Sohle nicht zu verlieren, hatte ich dem Schuh einen kräftigen Elastoplast-Verband gegeben und ihn zusätzlich mit einem Zehenriemen über dem Rist zusammengeschnürt.

Dazwischen aber schauen immer noch neugierig meine Wollsocken heraus, an denen sich Eis und Schnee ankrustet. Es ist ein grotesker Anblick, und es gehört schon eine gute Portion Frechheit dazu, mit solch kaputten Stiefeln bei minus 40 Grad über das Gebirge zur Liverpoolküste zu fahren.

Aber was hätte ich machen sollen?

Die alte Magdalena, die mir schon lange ein Paar Kamikker versprochen hat, vertröstet mich von einem aufs andere Mal und hat immer eine neue Ausrede zur Hand. Vielleicht kann sie mein Drängen und meine Ungeduld auch gar nicht verstehen. Der Winter dauert noch lange, und nächstes Jahr kommt bestimmt wieder einer. Imera!

In der Zwischenzeit muß ich eben schauen, wie ich mit dem Problem fertig werde.

Jetzt, wo ich wieder genügend dürres Gras habe, geht es wieder besser.

Nach dieser unergiebigen Jagd müssen wir morgen heimfahren. Wir können unsere Hunde nicht mehr füttern. Dazu müßten wir einen Bären oder unerlaubterweise einen Moschus erlegen.

Eigentlich bin ich froh, dem eisigen Gefängnis auf der Rathbone-Insel zu entkommen. Mir ist in den letzten Tagen und Nächten das pausenlose Heulen und Orgeln des Sturmes schon auf die Nerven gegangen. Hoffentlich hält das Wetter an. Wenn wir in den nächsten Tagen nicht heimkommen oder nichts Größeres erlegen, müßten wir unter Umständen zum Äußersten greifen und doch noch einige Hunde opfern.

Es wird wieder eine lange kalte Nacht. Doch als der Morgen graut, verebbt langsam der Sturm, so daß wir nach dem Frühstück sofort mit dem Beladen der Schlitten beginnen können. Wir wollen keine Zeit verlieren. Die Hunde merken die Aufbruchstimmung. Sie zerren an den Leinen, kläffen und heulen und können es nicht erwarten, vor die Schlitten gespannt zu werden. Die Moschusfelle und die wenigen Habseligkeiten sind bald auf den Schlitten verschnürt, die Kochausrüstung kommt in die hintere Tasche zwischen den senkrechten Holmen, und als letztes werden die Gewehre griffbereit darüber gehängt.

Ade, du liebe kleine Fangsthütte auf der Rathbone-Insel! Wohl werde ich dich nie mehr wiedersehen, aber vergessen werde ich dich nicht! In deinem Schutz habe ich die Urgewalt eines arktischen Schneesturmes erlebt, bei dem ich in schlaflosen Nächten erschauerte und bei dessen Wüten mir die Größe der Natur und die Nichtigkeit des eigenen Lebens zum Bewußtsein kamen.

In deinen vier Wänden habe ich aber auch das herrliche Gefühl der unbedingten Kameradschaft und des gegenseitigen Vertrauens kennengelernt. Die Woche auf dem vereisten Fußboden hat mich aber auch die Bedeutungslosigkeit der so hochgespielten Rassenprobleme gelehrt. Wenn Menschen vor einer entfesselten Naturgewalt sich schutz- und hilfesuchend in einer winzigen Hütte zusammenkauern, fragt niemand nach Herkunft, Abstammung und Rasse. Was hier zählt, ist Härte, Anpassung, Hilfsbereitschaft und die Fähigkeit zu überleben. Sonst nichts.

Die Schlitten sind beladen und die Hunde eingespannt. Jetzt erst werden ihnen die Vorderpfoten aus dem Brustgeschirr befreit, die Leinen entwirrt und geordnet. Dieses Entflechten und Zurechtlegen der Hundeleinen ist nicht nur ein kaltes, sondern auch ein ekelerregendes Geschäft. Kalt deshalb, weil es mit bloßen Fingern ausgeführt werden muß und man mit Fäustlingen die zu einem festen Zopf verflochtenen Leinen nicht lösen kann; ekelerregend, weil die Hundeleinen getränkt und bedeckt sind mit Urin und Hundeexkrementen. Ich muß gestehen, daß ich es bis zuletzt nicht über mich gebracht habe, in diesen Dreck hineinzugreifen. Immer wieder habe ich mich bemüht, den Ekel davor zu überwinden, aber es ist mir bis heute nicht gelungen.

Mit Feuereifer stürmen unsere Hunde die ersten paar hundert Meter über die vom Sturm blankgefegten Steinblöcke und Felstrümmer hinunter zum Ufer. Als gleichmäßig weiße Fläche liegt der Fjord vor uns, in der Ferne schwach und undeutlich eingerahmt von den dunklen Felskulissen des Liverpoollandes.

Wir ahnen, was uns bevorsteht. Eine Woche lang hat der Sturm die Schneemassen vom Festland herübergeweht und sie über den Fjord ausgeschüttet. Und er hat ganze Arbeit geleistet, die uns zum Verhängnis wird. Kaum sind die Hunde über die ersten Eispressungsrücken hinweg, versinken sie im Schnee. Noch wollen sie es nicht wahrhaben, daß sie nicht durchkommen. Sie sind ausgeruht und arbeitsfreudig und hängen hechelnd in den Seilen. Ich schaue Kristian an und deute auf den Schnee. Er zuckt die Schultern. In seinem Blick lese ich etwa die Worte: »IMERA«, »UPA«. Da kann man halt nichts machen. Das ist eben so.

Hat es überhaupt einen Sinn, die Hunde weiter zu treiben? Sollten wir nicht besser umkehren, solange es noch möglich ist? Was aber sollen wir auf der Rathbone-Insel ohne Hundefutter? Bei diesen Schneemassen können wir auch nicht auf Jagd. Ich schaue nach den beiden anderen Gespannen aus. Sie sind rechts von uns und kämpfen genauso wie wir mit den Schneemassen. Wenn die Hunde wenigstens dazu zu bringen wären, hintereinander in einer Spur zu fahren. Dann könnten ihre Kräfte rationeller eingesetzt werden, indem sie sich gegenseitig im Spuren ablösten.

So aber kämpft sich jedes Gespann auf eigene Faust durch den Schnee. Und der wird mit jeder Schlittenlänge tiefer und schwerer.

Um 9 Uhr sind wir aufgebrochen, jetzt ist es 16 Uhr. Sieben qualvolle, mühsame Stunden sind wir schon unterwegs.

Die Situation ist die gleiche. Immer noch treibt Kristian unsere Hunde an: mit Flüchen, mit der Peitsche. Doch die Tiere können nicht mehr. So sehr sie sich auch bemühen. Sie strampeln im tiefen Schnee und treten gleichsam auf der Stelle. Sie haben keinen Grund mehr unter den Beinen und wühlen sich immer tiefer. Der Schnee schlägt schon über ihren Köpfen zusammen. Ohne festen Grund unter den Füßen aber kann man keinen Schlitten ziehen, noch dazu einen so schweren mit zwei Männern drauf. Wir können aber nicht vom Schlitten herunter, da wir buchstäblich im Schnee versinken. Steigen wir aber trotzdem einmal ab, bekomme ich richtige Platzangst. Ich stelle mir vor, wie jämmerlich wir mitten auf dem Fjord zugrunde gehen, wenn die Hunde mit dem leeren Schlitten davonziehen und uns, die wir bis zum Bauch im Schnee stecken, im Stich lassen.

Wir müssen uns etwas einfallen lassen, um den Hunden zu helfen. Also knien wir uns mit dem einen Bein an den Rand des Schlittens und stoßen mit dem Unterschenkel des anderen Beines im Takt das schwere Gefährt vorwärts.

Meter um Meter.

Zwischendurch überläßt man die Hauptlast den Hunden. Hat diese Schinderei überhaupt einen Sinn? Manchmal erscheint mir alles so aussichtslos und widersinnig, als wollte man im Sommer mit einer Konservendose den Fjord leerschöpfen, um von der Rathbone-Insel zu Fuß das Festland zu erreichen.

Nach drei weiteren qualvollen Stunden kommen wir zu einer Landzunge. Hier in Ufernähe ist die Eisdecke durch die Gezeitenspalten gefährlich zerrissen. Immer wieder fallen die Hunde in diese Spalten, müssen wir sie herausziehen. Oft genug brechen auch Kristian und ich in die versteckten Klüfte ein.

Nach dieser Zone machen wir Rast und kochen Kaffee. Nicht daß mir kalt wäre, ich bin im Gegenteil durch die Schinderei der letzten Stunden in Schweiß gebadet. Ein Schluck heißer Kaffee aber tut immer gut. Besonders wenn man seit zehn Stunden nichts mehr gegessen und getrunken hat.

Die letzte Mahlzeit zum Frühstück war eine Portion »Spaghetti à la Rathbone-Insel«.

Ein Hausrezept, aus der Not geboren. Man nehme: ein faustgroßes Stück gefrorenen Seehundspeck mit Blut, gebe es in einen Topf mit heißem Wasser und lasse es kochen. In die dunkelbraune, fette Brühe schütte man eine Packung Spaghetti (ihre Herkunft ist ungewiß; ich fand sie in der Tiefe meines Rucksackes zwischen Reservesocken und Unterwäsche). Kurze Zeit später glichen die Spaghetti dunkelbraunen Regenwürmern. Wir hatten keinen Löffel. Da man Spaghetti nicht mit dem Messer aufspießen kann, schütteten wir sie mitsamt der dunklen Brühe in unsere Kaffeetassen und schlürften daraus mit der nach Blut und Tran schmeckenden Suppe auch die Spaghetti in uns hinein. Das also ist das Rezept für »Spaghetti à la Rathbone-Insel«.

Nicht gerade ein Getränk für empfindliche Magennerven. Da wir am Morgen unsere Kaffeetassen nicht mehr abwaschen konnten, schmeckt jetzt der Kaffee nach Blut, Tran und Seehundspeck. Doch wen stört das schon?

Neben uns liegen die Hunde im Schnee. Sie haben ihre Schnauzen in den buschigen Schwänzen vergraben und dösen vor sich hin. Ab und zu hebt einer den Kopf und schnuppert zu uns herüber. Wir haben schon längst kein Futter mehr für sie und außer diesem Kaffee selbst nichts mehr. Es wird eine lange, harte Nacht werden. Ob wir es bis morgen nach Scoresbysund schaffen? Wenn nur der Fjord mit den grundlosen Schneemassen endlich hinter uns liegen würde. Der Weg über das Gebirge wird sicherlich leichter werden.

Um Mitternacht etwa kommen wir in eine Zone heftig aufgeworfenen Eises, nach deren Überwindung das Gelände gleichmäßig ansteigt.

Somit liegt der Fjord hinter uns und mit ihm das schwierigste Stück. Jetzt geht es über den Gletscher hinauf ins Gebirge. Beim Hinweg vor einer Woche haben wir von hier über den Fjord bis zur Rathbone-Insel vier Stunden gebraucht – heute hat uns der Rückweg fünfzehn gekostet. Fünfzehn harte, mühevolle Stunden.

Doch was ist das schon, verglichen mit den Strapazen früherer großer Schlittenreisen, etwa eines Knud Rasmussen oder Peter Freuchen? Oder mit dem Daseinskampf der Steinzeiteskimos, deren Leben von der Geburt bis zum Tod eine einzige große Schlittenreise war? Und doch bin ich glücklich, die Schlittenreisen in Grönland in all ihrer Härte und Schönheit noch kennengelernt zu haben, bevor sie der Technik werden weichen müssen.

Immerhin habe ich sie noch im beißenden Schneesturm und unter dem wallenden Schleier des Nordlichts erlebt; ich bin mit dem schweren Schlitten über hauchdünnes Neueis gefahren und habe mich über meterhoch aufgeworfenes Packeis gequält. Aber immer war es ein Erlebnis voll Romantik und Abenteuer.

Ich spiele bei diesen Schlittenreisen immer ein Spiel, das mir besondere Freude macht und mich alles aktiver erleben läßt. Ich versuche mich an jedem Ort, in jeder Situation unserer Reise zu orientieren und stelle mir immer wieder die Frage, wie es weitergeht, welchen Weg ich einschlagen würde, um zum gewünschten Ziel oder wieder heim in die Siedlung zu kommen.

Während es mir von draußen, von der Eiskante des Polarmeeres wahrscheinlich auch bei schlechtem Wetter möglich gewesen wäre, wenigstens die Küste zu finden, bin ich in dieser Nacht mit meinem »Orientierungsspiel« am Ende.

In der dunklen Nacht zwischen den unzähligen runden Buckeln und gleichförmigen Kuppen hindurchzufinden, übersteigt meine Orientierungsfähigkeit.

Erst als die Hunde am nächsten Vormittag im grauen Licht des leichten Nebels einen Gletscher hinabstürmen und über einen zugefrorenen See hinwegjagen, dämmert es auch in meinem Bewußtsein.

Mit dem Licht des neuen Tages wird eine Erinnerung an einen Sommertag 1967 in mir wach:

Ich machte damals am Ufer dieses kleinen Gletschersees Nahaufnahmen von den herrlichen Blüten des Breitblättrigen Weidenröschens. Auf dem Bauch liegend, hantierte ich mit verschiedenen Vorsatzlinsen und war so in meine Arbeit vertieft, daß ich alles andere darüber vergaß.

Plötzlich hatte ich ein sonderbares Gefühl. Es war mir, als ob mir jemand über die Schulter blickte. Ich wandte mich um und sah über mir am Hang den Leibhaftigen persönlich.

Sein schwarzes, zottiges Fell streifte fast den Boden, und darunter schauten vier kurze, stämmige Beine hervor. Wenn er den Kopf senkte, fielen ihm die schwarzen Haarzotteln über die Augen, und aus der kahlen Stirnplatte ragten zwei spitze, nach vorn geschwungene Hörner.

Ich hatte es mir zwar immer schon gewünscht, einen Moschusochsen aus der Nähe zu sehen – aber so nahe denn nun auch wieder nicht!

Allein und ohne Waffe in diesem völlig offenen, schutz- und deckungslosen Gelände, war ich ganz und gar seiner Gnade ausgeliefert.

Also versuchte ich, seine Laune durch nichts zu stören und ihn nicht zu reizen. Ich dachte nicht im entferntesten daran, von ihm ein Foto zu machen, sondern packte meinen Rucksack und setzte mich schleunigst, aber ohne Panik, in Richtung Scoresbysund ab. Mit einem komischen Gefühl in der Magengegend.

Doch während ich marschierte, trottete er hinterdrein. Manchmal äsend, oder verharrend, sich dann wieder in einen kurzen Trab setzend. Offenbar wollte er den Abstand zwischen uns nicht zu groß werden lassen.

Immer wenn das Tier in Trab fiel, wogte sein langes, schwarzes Fell über den ganzen Körper wie ein reifes Kornfeld, über das der Sommerwind streicht.

Es war offensichtlich einer jener von der Herde wegen ihrer Unverträglichkeit ausgestoßenen alten Einzelgänger, von denen man sagt, daß mit ihnen nicht gut Kirschen essen sei.

Ich versuchte immer wieder, mich zwischen den großen Blöcken abzusetzen und unsichtbar zu machen, aber es dauerte nicht lange, da hatte er mich wieder ausgemacht und trottete auf mich zu.

Mit diesem »Versteckenspielen« ging es also nicht.

Was blieb mir sonst, um mich den unerwünschten Annäherungsversuchen zu entziehen?

Eine offene Flucht wäre auf jeden Fall taktisch falsch gewesen und hätte meinen Verfolger sicherlich zum Angriff gereizt. Also versuchte ich meine Rettung in den großen Steinblöcken, die im Gelände herumlagen. Stand ich dann vor so einem Block, war er entweder zu niedrig und daher zu unsicher, oder er hatte glatte, überhängende Wände, so daß ich nicht hinaufkam. Also weiter zum nächsten Block: Ein Auge auf das Gelände vor mir, das andere auf meinen grimmigen Weggefährten hinter mir gerichtet. Wie lange doch zwei Stunden mit einem zudringlichen Moschusbullen auf den Fersen sein können!

Endlich sah ich in der Ferne den Rauch der Siedlung aufsteigen. Jetzt würde er wohl bald kehrtmachen. Doch er dachte nicht daran. Fühlte er sich von Natur aus als rechtmäßiger Besitzer des Landes, oder war er sich seiner Stärke bewußt?

Als ich den Hütten näher kam, löste sich meine innere Spannung. Bald wird man uns entdecken. Bald werden die ersten Hunde angestürmt kommen, dachte ich hoffnungsvoll.

Noch immer nicht? Was ist denn heute mit den Hunden los? Schlafen sie alle am hellichten Tag? Endlich heulte einer zornig auf. Es klang wie ein Signal. Wenig später stürzte die erste Welle an mir vorbei und stellte den Moschusochsen. Als zweite folgten mit Geschrei die Kinder, und dann erst kamen die Erwachsenen, mit Handelschef Nielsen an der Spitze.

Er beruhigte die Hunde und knallte dem Bullen einige scharfe Schüsse vor die Beine. Erdreich spritzte auf. Jetzt erst schien er zu merken, daß es ernst war. Er wandte sich um und setzte sich in Trab, zurück in das Tal, aus dem wir gemeinsam gekommen waren. Die Hunde umkreisten und verbellten ihn, hielten sich aber immer in einem respektvollen Abstand.

1967 schien überhaupt ein gutes Moschusochsenjahr gewesen zu sein. Wenige Tage nach dem Zwischenfall in Scoresbysund fielen zwei mächtige Bullen in die nur 20 Kilometer entfernte Siedlung Kap Hope ein. Sie wurden zwischen den Hütten von den Hunden gestellt. Dabei kam ein Hund den spitzen Hörnern zu nahe, wurde aufgespießt, durch die Luft gewirbelt und am Boden zertrampelt. Das war den Männern von Kap Hope nun doch zu viel. Sie erlegten trotz der Schonzeit den einen Bullen, der andere suchte daraufhin das Weite.

Wir sind bereits 24 Stunden ohne nennenswerte Rast unterwegs. Müde, fast schon apathisch, sitze ich auf dem Schlitten und habe nur den einen Wunsch: schlafen! In diesem Zustand, müde und hungrig, wie ich bin, leide ich auch mehr als sonst unter der Kälte.

Überhaupt bringen die Temperaturen unter minus 40 Grad doch einige Probleme für mich. Eines der größten ist das Fotografieren. Jede Aufnahme bei diesen Temperaturen ist eine Qual und verlangt das Letzte an Selbstüberwindung: Fäustlinge ausziehen, Apparat einstellen – schon werden die Finger weiß. In die Hosentaschen damit. Dann ein Blick durch den Sucher, der vereist, der Apparat klebt an der Haut. Sucher reinigen – Finger wärmen. Eine andere Brennweite wäre besser. Also das Objektiv wechseln. Man kann nichts weglegen, überall ist Schnee und Eis. Donnerwetter, meine Finger sind schon wieder weiß! Apparat ans Auge – Atem anhalten – abdrücken. Die Aufnahme ist gemacht. Der Apparat klebt an der Haut. Immer wenn ich ihn losreiße, geht ein Stückchen mit. Diese angefrorenen Stellen sind dann erst recht kälteempfindlich. Werden diese Wunden wieder heilen, oder sollte ich mit diesen Schönheitsfehlern gezeichnet bleiben?

Doch was bedeuten gefrorene Finger und offene Augenbrauen schon? Ein anderes Problem ist es, das mich in diesen ersten Wochen fast verzweifeln läßt: jedesmal wenn ich den fertig belichteten Film rückzuspulen versuche, könnte ich losheulen! Schon nach wenigen Umdrehungen reißt die Perforation des Filmes – der Knopf dreht leer durch – der Film spult nicht auf. 36 Aufnahmen umsonst geschossen! Das Filmmaterial hält die Temperatur um minus 46 Grad Celsius nicht aus. Es wird hart und spröde und spritzt ab wie Glas. Was mache ich bloß? Die Bilder, die ich heimbringen möchte, sind mein einziges Kapital. Mit ihnen wollte ich Vorträge halten, um wenigstens einen Bruchteil der Kosten dieser Fahrt hereinzubringen.

Ich wollte unabhängig sein, tun und lassen können, was mir beliebt, und habe daher die ganze Reise selbst finanziert. Ich habe Schilling um

Schilling zusammengelegt, um mir die Ausrüstung und Arktisbekleidung zu kaufen, ich habe den Flug selbst bezahlt, um nur ja nicht in den Verdacht zu kommen, auf jemandes Kosten »einen schönen Urlaub« zu machen.

Natürlich trage ich den Fotoapparat unter der Daunenweste nahe am Körper. Aber wenn ich ihn herausnehme, unterkühlt das Filmmaterial so sehr, daß die Perforation ausreißt. Auf diese Weise habe ich in der ersten Zeit ein Dutzend Filme verdorben. Wenn ein belichteter Film nicht rückzuspulen war, hat man mich mit allen verfügbaren Fellen und Kleidungsstücken auf dem Schlitten zugedeckt, und in dieser »Dunkelkammer« habe ich dann den Film aus der Verankerung gerissen, mit den Fingern aufgerollt und in Zeitungspapier eingewickelt. Eine ganz brutale Art, mit einem belichteten Film umzugehen. Was hätte ich aber sonst machen sollen? Es blieb mir keine andere Wahl. Daß aus diesen Filmen nichts werden konnte, war mir im vorhinein klar.

Ein anderes Problem, das mit der Kälte zusammenhängt, ist meine Nase. Wenn ich morgens aufwache, ist sie trocken wie ein verdorrter Kaktus in der Wüste, kaum aber bin ich eine Viertelstunde im Freien, rinnt sie wie ein undichter Wasserhahn. Und was eine ständig tropfende Nase bei einer Temperatur um 45 Grad minus bedeutet, liegt klar auf der Hand. Ich trage einen Wollschal über dem Gesicht und gleiche einer arabischen Haremsdame. Darunter aber tropft mein Gesichtsvorsprung, und der feuchte Umschlag friert an Gesicht und Nase fest. Jetzt weiß ich auch, warum die Eskimos nur asiatisch-mongoloiden und nicht griechisch-römischen Ursprungs sein konnten: wegen der Nase, die sich bei den mongoloiden Völkern zwischen den ausgeprägten Jochbeinen verbirgt und dadurch der Kälte weniger ausgesetzt ist.

Gegen Mittag kommen wir in die Siedlung. Kristian lenkt sein Gespann vor die Hütte. Dort sollte ich in wenigen Minuten ein Schauspiel von solcher Wucht und Dramatik erleben, daß ich es nie vergessen werde. Ein Schauspiel, bei dem zwölf wilde, ausgehungerte Polarhunde die Akteure sind, die mich mit ihrer zügellosen Wildheit das Gruseln lehren. Wohl glaubte ich, die Polarhunde auf meinen bisherigen vier Reisen in Grönland kennengelernt zu haben; doch was ich vor Kristians Hütte erlebte, übersteigt jedes vorstellbare Maß an geballter Wildheit und maßloser Freßgier und endete in einem Blutrausch. Kristian schleppt aus dem Vorraum seiner Hütte eine große Robbe und zerrt sie mitten hinein in das Rudel hungriger Hunde.

Zwölf wilde Bestien stürzen sich darauf.

Blut spritzt auf, Haare fliegen, zwölf gierige Schnauzen verbeißen sich in den Kadaver, schlingen, würgen, ersticken fast an den unzerkauten Knochen und scharfen Krallen der Robbe.

Tiefer und tiefer vergraben sich die Hunde in den blutigen Knäuel. Einer wühlt bis zu den Vorderpfoten in den Innereien, wird von den anderen verjagt, Blut trieft aus seiner Schnauze.

Schmatzend und knurrend zerren zwei an den Gedärmen und ziehen das verschlungene Knäuel immer weiter auseinander. Ein anderes Rudel kämpft um die Wirbelsäule. Knochen splittern, Zähne schlagen krachend aufeinander.

Ein Hund flieht mit seiner Beute im Maul, wird verfolgt, verschlingt, was er hinabwürgen kann, das andere wird ihm entrissen.

Blutrot färbt sich der Schnee um das Rudel reißender Tiere. Ich stehe zwischen ihnen und schieße mit meiner Kamera mitten hinein in das blutige Gemetzel.

Lag hier vor wenigen Minuten wirklich noch eine ganze Robbe? Wo ist sie hingekommen, wie lange dauerte das blutige Gemetzel? Ich weiß es nicht. Plötzlich schießt es mir durch den Kopf: wenn sich die Hunde in ihrem Blutrausch jetzt auf mich stürzen, bin ich in wenigen Minuten ebenso vom Erdboden verschwunden wie vor mir die Robbe. Das einzige, was zurückbleiben würde, ist meine Kamera.

Ebenso explosionsartig, wie der Kampf um das Futter begann, so unvermittelt endet er. Jetzt, wo auch der letzte Happen verschlungen ist, putzen die Hunde sich die Mäuler, lecken sich gegenseitig das Blut ab, rollen sich zusammen, stecken die Schnauzen in die buschigen Schwänze und schlafen.

Endlich wieder einmal richtig satt!

Bald danach liege ich in meinem Schlafsack.

Doch ich kann nicht einschlafen. Das Blut, die fliegenden Haare, das Splittern der Knochen – ich werde die schaurigen Bilder nicht los. Zu tief haben sie sich in mein Bewußtsein gegraben.

Ich weiß – diesmal war es eine tote Robbe, aber wie oft passiert es, daß Kinder fröhlich lachend durch die Siedlung tollen und im selben Augenblick eines ausrutscht und hinfällt, wenn ein Rudel halbwilder Polarhunde daherkommt. Das ist immer ein kritischer Augenblick! Solange sich die Kleinen aufrecht auf ihren beiden Beinen bewegen, werden sie von den Hunden als Menschen angesehen und respektiert.

Wehe aber, wenn so ein kleiner unbeholfener Hosenmatz auf allen vieren im Schnee herumkrabbelt! Dann ist er für die Hunde kein menschliches Wesen mehr, sondern ein Beutetier, das gejagt werden kann. In einem solchen Fall kommt für das Kind meist jede Hilfe zu spät.

Das einzige, was zu tun bleibt, ist, alle beteiligten Hunde auf der Stelle zu erschießen oder aufzuhängen, damit sie nicht noch mehr Kinder überfallen können.

Weil ich weiß, daß es anstatt einer toten Robbe auch einer der pausbäckigen kleinen Knirpse sein kann, hat mich das Erlebte so erschüttert.

RINGS UM UNS BRICHT DAS MEEREIS AUF

Will es denn heute gar nicht hell werden? Ich bin schon längst ausgeschlafen und wende mich zum Fenster. Durch den Sturm der letzten Tage ist die Schneewächte, die sich den ganzen Winter über an der Leeseite unserer Hütte aufgebaut hat, noch um ein beträchtliches gewachsen. Sie reicht bereits bis zum Dachrand. Wie durch einen Filter sickert das spärliche Tageslicht in das Innere unserer Hütte

Von Elsners höre ich nichts. Sicherlich schlafen sie noch. Leise schäle ich mich aus meinem Schlafsack, schlüpfe in den Daunenanzug und meine neuen Fellkamikkern, die mir die gute Magdalena vor ein paar Tagen gebracht hat, während wir auf der Rathbone-Insel waren. Es ist ein völlig neues Gehgefühl: leise, weich und geschmeidig spaziere ich mit den absatzlosen Kamikkern wie auf Katzenpfoten im Zimmer herum und bin mächtig stolz auf meine neue Errungenschaft. Wenn mich jetzt meine Freunde sehen könnten!

Ich nehme die Fototasche und trete hinaus in den dämmrigen Morgen. Doch kaum habe ich die Haustür geöffnet und den ersten Schritt getan, als es mir beide kamikkerbewehrten Füße gleichzeitig unter dem Körper wegzieht. Ich klatsche mit solcher Wucht auf mein Hinterteil, daß ich in den ersten Minuten nur Sterne in der grauen Dämmerung sehe.

Langsam komme ich wieder zu mir. Wie ein Häuflein Elend sitze ich vor der Haustüre auf der vereisten Straße und sammle meine verstreuten Foto-Utensilien ein. Wie gut, daß mich meine Freunde doch nicht sehen konnten! Das Gehen mit den glatten, absatzlosen Fellkamikkern will eben auch gelernt sein!

Mit einem schmerzenden Hinterteil und noch etwas benommen durch den Schock bummle ich durch die Siedlung. Von einzelnen Hütten steigt bereits Rauch auf, doch sonst ist alles wie ausgestorben, kein Mensch ist zu sehen. Niemand, der zur Arbeit hastet, keine ungeduldig hupenden Autofahrer und salzstreuenden Hausmeister.

Doch hier rührt sich etwas unter dem Schnee. Eine schwarze Schnauze wird sichtbar – und dann schüttelt ein Hund die weiße Decke ab, die der Sturm heute nacht über ihn gebreitet hat.

Abend in der Siedlung Scoresbysund.
Der Atem der Hunde gerät zu langen Nebelfahnen

Wie war es möglich, daß Menschen in diesen eisigen Einöden seit Jahrtausenden leben konnten?

Das war wieder ein Wetter! In wilden Wirbeln tanzte der Schnee durch die Siedlung, und von den Dächern flatterten lange weiße Mähnen in die dunkle Polarnacht. Keinen Hund, so sagt man bei uns, würde man bei diesem Wetter vor die Hütte jagen.

Aber hier brauchte man das auch nicht, es waren ohnehin alle draußen. Wie könnte man auch bei einer Einwohnerzahl von 250 Seelen 850 halbwilde Polarhunde in den Hütten halten!

Außerdem wären dann diese prächtigen, rauhen Gesellen ebenso degeneriert und verweichlicht wie ihre mit Mäntelchen, Pfotenschützern und bunten Schleifen gezierten Artgenossen in den Städten, die kaum mehr wissen, welchen Spaß eine Rauferei machen kann, und die den Geschmack von warmem Blut nie kennengelernt haben!

Der Hund reckt und streckt sich, hebt den Kopf gegen den milchigen Himmel und stimmt ein herzzerreißendes Morgenlied an.

Das Lied der Arktis.

Was wäre eine Eskimosiedlung ohne dieses Geheul der Polarhunde!

Will er mit seinem Morgenlied den neuen Tag loben, der ihm kaum etwas anderes als Mühen, Fußtritte und bestenfalls ein paar gestohlene Happen Seehundfleisch bringen wird?

Oder will er sein Schicksal als Schlittenhund beklagen? Ob Lob, Anklage oder Herausforderung, dieses Geheul gehört zu einer Grönländersiedlung, wie Kälte, Schnee und Dunkelheit zur Polarnacht gehören.

Ich mache meine Kamera zurecht und nähere mich dem Tier. Langsam, selbstbewußt und furchtlos, als wäre ich mit Polarhunden aufgewachsen. In meinem Inneren aber sitzt die Angst. Besonders in der Magengegend spüre ich sie. Ich weiß aber, daß ich bei Polarhunden den starken Mann spielen muß. Daher kämpfe ich gegen meine Angst an und bemühe mich, sie zu unterdrücken. Ich nehme die Kamera ans Auge und versuche, ein Porträt des Hundes zu bekommen. Ich rede mir ein, daß Polarhunde im Grunde feige sind, ich dagegen bin furchtlos. Nur daß ich allein bin, behagt mir nicht recht. Es ist leichter, vor einem Publikum oder in einer größeren Gruppe tapfer zu sein.

Der Hund unterbricht sein Morgenlied und wendet sich mir zu. Er knurrt mich an, zornig, haßerfüllt, wie mir scheint. Oder ist es auch von ihm nur gespielte Wildheit?

Aller Unrat wird vor die Hütten geworfen

»Hast du gedacht ich kann nicht skifahren?«

Der Autor mit »Erinaq«, dem Boß des Gespanns

Wer von uns beiden hat mehr Angst? Ich bleibe stehen und warte. Näher zu ihm hin getraue ich mich nicht. Wir starren uns gegenseitig an. Sein Knurren wird zorniger, er zeigt mir die Zähne. Wie gerne möchte ich zurückknurren, aber ich weiß, daß das nur ein lächerliches Beginnen wäre und sicherlich keinen Eindruck auf ihn machen würde.

Langsam wird der Schnee um mich herum lebendig. Ein Hund nach dem anderen schüttelt seine weiße Decke ab und erhebt sich. Es scheint, als ob alle zum Tagesbeginn eine größere Rauferei erwarten, die sie sich nicht entgehen lassen wollen.

Angesichts der vielen Hunde wird mir ungemütlich. Eisige Angst läuft mir über den Rücken und schnürt mir die Kehle zu. Ich weiß, was auf mich zukommt. Es ist nicht mehr aufzuhalten. Am liebsten würde ich kneifen. Wenn ich aber jetzt einen Schritt zurücktrete, spürt das Tier meine Angst und setzt mir nach. Also bleibe ich. Vorsichtig nehme ich den rechten Fuß zurück, um mehr Schwung zu haben, wenn ich ihm den Kamikker auf die Schnauze setze.

Nur Ruhe, nur jetzt nicht die Nerven verlieren. Ich bin allein gegen ein Dutzend wilder Polarhunde. Jetzt muß ich mich bewähren, sonst habe ich zum Schaden noch den Spott der ganzen Siedlung.

Ich habe Zeit. Ich werde nicht angreifen. Aber wenn der Hund mich anspringt, soll er meine neuen Kamikker spüren. Ich schaue ihm unverwandt in die Augen. Er knurrt noch immer, aber – wie mir scheint – nicht mehr so zornig wie vorhin.

Will er mich doch als seinen Herrn anerkennen und respektieren? Im nächsten Moment knarrt eine Tür, eine Stimme erschallt, Schatten flitzen an mir vorbei – und ich stehe allein da.

Ich schaue hinauf zur Hütte, die über mir am Hang steht. Jakob Sanimuinak ist mit einem Kübel Fleisch aus der Tür getreten, und an den verschmierten Fensterscheiben seiner Hütte drücken sich vier kleine Nakkedeis die ohnehin schon platten Näschen noch flacher und lachen zu mir herunter.

Seither werde ich den Verdacht nicht los, daß mich Jakob mit dem Kübel Hundefutter auf taktvolle Weise aus meiner nicht gerade beneidenswerten Lage befreien wollte.

Während sich die Hunde um die blutigen Fleischbrocken raufen und in ihrer Freßgier am liebsten auch noch den Kübel verschlungen hätten, ladet mich Jakob in seine Hütte ein.

Ich will nicht unhöflich sein und nehme an, obgleich ich weiß, daß dieser Besuch meine Geruchsnerven auf eine harte Probe stellen wird. Aber schließlich hoffe ich, mit der dicken Luft einer Grönländerhütte am frühen Morgen leichter fertig zu werden als mit einem Rudel wilder Hunde. Heute allerdings weiß ich, daß das eine so schwierig ist wie das andere.

Jakob aber meint es gut mit mir. Im dämmerigen Raum sehe ich zuerst nur halbnackte Kinder herumkrabbeln. Allmählich aber gewöhnen sich die Augen an das spärliche Licht und nehmen Einzelheiten auf. In einer Ecke liegen zwei aufgebrochene Seehunde und warten darauf, »geflenst«, das heißt abgezogen und zerlegt zu werden. Ein schmales Bächlein Blut und Wasser rinnt von den beiden Kadavern gegen die Mitte des Raumes und bildet dort eine rote Pfütze. Eines der Kleinen krabbelt auf allen vieren, planscht mit seinen Händchen in der Blutlache und zeichnet mit sichtlichem Vergnügen abstrakte Bilder in Rot auf den Fußboden. Ich beuge mich zu dem Kind hinunter und kann mich eines Lächelns nicht erwehren: sein Gesichtchen ist blutverschmiert wie das Gesicht eines Sioux-Indianers in Kriegsbemalung. Eine junge Frau sitzt auf der Schlafstelle zwischen einem wirren Haufen Bettzeug, Decken und Fellen und stillt mit entblößtem Oberkörper ein Baby. Oberhalb der Schlafstelle hängen die üblichen bunten Bilder, meist Ausschnitte aus Illustrierten: die dänische Königsfamilie; ein Bild aus Neu-Mexiko oder Arizona: sonnenverbrannte Erde, rote Felsen und Kakteen; Ansichtskarten mit Städtebildern aus Dänemark und, auf weißem Untergrund, eine Postkarte, die ins Auge springt: ein prächtiger Schimmelhengst bei einer perfekten Levade. Spanische Reitschule Wien. Ich erinnere mich der Karte: Es war mein Weihnachtsgruß 1967 an Jakob. Gleichsam als »Blickfang« aber stehen zwei Nachttöpfe herum, randvoll mit einem Inhalt, der keineswegs von den Kindern allein stammen kann. Ein größeres Mädchen hantiert am Herd und stellt einen Aluminiumtopf mit Fleisch für uns auf den Tisch. Das Fleisch ist lauwarm, an seiner Schwarte hängen noch Büschel langer Borsten, und es ist zäh wie der Gürtelreifen eines Rennwagens. Während ich an dieser Gummisohle herumkaue, erinnere ich mich, daß Jakob in den letzten Tagen ein Walroß erlegt hat. Ich bringe unser

Gespräch, besser gesagt unsere Zeichensprache auf das Walroß und mache Jakob verständlich, daß ich gerne mit ihm auf Jagd fahren würde. Und – was ich eigentlich nicht erwartet hatte – er willigt sofort ein. So sind wir uns also bei der zweiten Tasse Kaffee schon einig, heute noch, am besten gleich, nach Kap Swanson zu fahren und eine Woche zur Jagd dort zu bleiben.

Inzwischen haben bei den Erwachsenen meine Zigaretten die Runde gemacht, und den Kindern habe ich den Mund mit Bonbons vollgestopft. Das hat die Kleinen so zutraulich gemacht, daß sie, bloßfüßig und in Nachthemdchen, die ihnen kaum bis zum Bauch reichen, an mir herumkrabbeln. Am zutraulichsten von allen war mein kleiner, blutverschmierter »Sioux-Indianer«.

Die Fahrt nach Kap Swanson bot keinerlei Schwierigkeiten. Jakob hat ein kräftiges Hundegespann, unser Schlitten war fast leer, wir hatten nur unsere Gewehre und die Kochausrüstung, einige Felle und natürlich Schlafsäcke mit. Aber keinen Proviant für uns und kein Hundefutter, da wir auf Kap Swanson mit guter Jagd rechnen konnten.

Ich war sehr neugierig darauf, da ich schon soviel davon gehört hatte, und zwar immer im Zusammenhang mit »PIUSSE« und »NANOQ«, mit Seehunden und Eisbären. Wir nahmen von Scoresbysund zuerst die Schlittenspur nach Kap Tobin, bogen auf halbem Wege nördlich ab und fuhren auf die Berge zu. Weshalb Jakob den Weg über das Gebirge der Fahrt der Küste entlang vorzog, weiß ich zwar nicht genau, aber vermute den Grund.

Wir fuhren nämlich geradewegs in das Tal hinein, aus dem vor zwei Tagen der Eisbär gekommen war.

Am hellichten Tag und seelenruhig kreuzte er die Schlittenspur zwischen Scoresbysund und Kap Tobin, die alle Hundegespanne benützen, wenn sie zur Eiskante hinausfahren oder von der Jagd heimkehren.

Sicherlich ist sie die meistbefahrene Schlittenspur im ganzen Distrikt. Kein Eisbär sollte sie um die Mittagsstunde ungestraft kreuzen. Das kann einfach nicht gut ausgehen.

Aber die Wege dieser ewigen Wanderer sind nun einmal unergründlich. Aber das gilt auch für das menschliche Verhalten. Der arme Lars!

Er tat mir wirklich leid. Gestern noch bleich vor Wut, hätte er sich am liebsten selbst in den Hintern gebissen, als er mir seine Begegnung mit dem Eisbären erzählte: drei Jahre lang hatte er als Funker die Wetterstationen der Ostküste abgeklappert. Er war in Mesters-Vig, Daneborg und ganz oben in Danmarkshavn, das schon hinter der berüchtigten »Bretterwand« liegt und wo man die Welt schon von der Rückseite sieht.

Drei Jahre lang! und an keinem Tag ist er ohne Gewehr und Kamera ausgegangen.

Das ist an sich nichts Ungewöhnliches in einem Land, in dem man keine Stunde vor Überraschungen sicher ist. In seiner Wut meinte er sogar, daß er oftmals sein Gewehr auch an jenen Ort mitgenommen hat, der bei uns zu Hause ein ausgeschnittenes Herz in der Tür trägt.

Lars ist ein leidenschaftlicher Jäger. Drei Jahre lang träumte er davon, einen Eisbären vor die Flinte zu bekommen. Einmal nur dem König der Arktis gegenüberstehen! Gestern war es endlich soweit. Aber – Ironie des Schicksals – mit leeren Händen!

Ausgerechnet an diesem Tag war Lars ohne Gewehr und Kamera unterwegs. Er wollte mit seinem Raupenkrad nur mal schnell von Kap Tobin nach Scoresbysund um Tabak fahren. »In einer Stunde bin ich wieder zurück!« rief er seinen Freunden in der Wetterstation zu. Wozu Flinte und Kamera – jetzt um die Mittagsstunde konnte man ohnehin mit nichts Jagdbarem rechnen.

Was sich weiter abspielte, ist bald gesagt: Lars schwang sich auf sein Raupenkrad und brauste mit Gestank und Geknatter davon. Auf halbem Wege begegnete er dem Bären. Durch den Lärm aufgescheucht, kam er aus dem Schutz eines Felsblocks hervor und starrte aus 100 Schritt Entfernung auf Lars. Überraschung auf beiden Seiten!

Neugierig wie alle Eisbären stellt das Tier sich auf die Hinterbeine, hebt den Kopf und wittert zu Lars hinüber. Dabei fährt er mit der Vorderpfote über Gesicht und Schnauze, als wolle er sich einen Schleier von den Augen wischen oder die empfindsame Nase vor dem widerlichen Gestank des knatternden, flüchtenden Wesens schützen.

Lars ist kein Phantast. Er weiß, daß auch der beste Jäger ohne Gewehr nur ein schwacher Mensch ist. Mit bloßen Händen gegen diesen ausgewachsenen Burschen? Lars ist nicht lebensmüde und auch kein Kamikaze.

Er kennt die Angriffslust hungriger Bären. Hier gibt's nur eines: ab mit Vollgas!

Ein Auge auf den verdutzten Bären, das andere auf die Schlittenspur gerichtet, braust er weiter gegen Scoresbysund. Knapp vor der Siedlung kommt ihm ein Hundegespann entgegen. Lars stoppt, springt auf den Schlitten und erzählt Gerd Brönlund von seiner Begegnung mit dem Bären. Brönlund ist sofort bereit, die Verfolgung aufzunehmen. Er läßt seine zwei schärfsten Hunde frei und hetzt sie in die vermutliche Richtung des Bären.

Die anderen Hunde sind wie toll.

Wittern sie bereits den Bären, oder hat die Spannung der Männer auf sie übergegriffen?

Jedenfalls heulen sie vor Wut.

Eisbären sind ihre natürlichen Feinde. Darüber vergessen sie sogar, daß die Bären selbst um ein Vielfaches größer und stärker sind als sie selbst.

Ihre körperliche Unterlegenheit aber gleichen die Hunde durch Wildheit, Flinkheit und Angriffslust aus. Aber gerade ihre blinde Wut wird vielen von ihnen zum Verhängnis.

Lars und Gert fahren mit dem Schlitten in Richtung Kap Tobin zurück, um dem Bären den Fluchtweg ins Gebirge abzuschneiden. Er wird ihnen nicht entkommen. Auf dem weiten Scoresbysund werden ihn die Hunde sicherlich aufstöbern.

Und sie haben ihn bekommen.

»Paßbilder hätte ich machen können von ihm«, schimpfte Lars, »einmalige Fotos vom Kampf der Hunde mit dem Bären – anstatt dessen nichts – gar nichts –, hol's der Teufel!« Damit schwang er sich auf sein Raupenkrad, gab Gas und knatterte davon. Er entschwand wie der Leibhaftige in einer Wolke von Schneestaub und Benzingestank. Über dem Rücken das Gewehr, im Gepäcksack Fotoapparat und Filmkamera, so wie jeden Tag in den letzten drei Jahren – mit Ausnahme des gestrigen.

Wann wird er seinem nächsten Eisbären begegnen?

Ich vermute, daß es dieser Eisbär war, der Jakob veranlaßte, ins Tal hineinzufahren und den Weg über das Gebirge zu nehmen.

Imera! – vielleicht! Aber gerade Jakob müßte wissen, daß die Wege dieser ewigen Wanderer unergründlich sind und daß, wenn die schonungslose Jagd auf dieses arktische Wild weiter anhält, bald überhaupt kein Eisbär mehr aus diesem Tal kommen wird. Und damit sind wir bei einem aktuellen Problem.

In Fachkreisen meint man zwar, daß aufgrund des »Internationalen Abkommens zum Schutze der Eisbären«, das 1973 in Oslo von den fünf »Eisbärländern« Kanada, Dänemark, Norwegen, der Sowjetunion und den Vereinigten Staaten unterzeichnet worden ist, der Bestand der Art gesichert sei.

Kennt man nun aber bei der großen Wanderfreudigkeit der Eisbären deren Gesamtbestand wirklich?

Nach letzten Schätzungen liegt ihre Zahl zwischen 10000 und 20000. Jedenfalls wäre es ein unverzeihliches Versäumnis unserer Generation, wenn wir dieses königliche Wild der Arktis durch schonungslose Jagd ausrotten würden.

Spätere Generationen würden uns berechtigte Vorwürfe machen.

Als Freund der grönländischen Eskimos weiß ich aber auch, wie tief diesen Menschen die Jagdleidenschaft im Blut sitzt und daß manche Sippen auch heute noch ausschließlich von der Jagd leben. Diese Jagdleidenschaft muß als Erbgut einer jahrtausendealten Jägerkultur verstanden werden.

Hierfür zwei Beispiele: Bezeichnenderweise sind es Erlebnisse mit Kindern.

Sommer 1967.

Ich stehe an einem regnerischen Tag am Strand von Kap Hope und weiß mit mir und der Welt nichts anzufangen. Jäh herausgerissen aus unserer mitteleuropäischen Zivilisation, habe ich noch keine Beziehung zum Land und zu den Menschen. Ich habe noch keine Freunde und keine Bekannten, zu denen ich gehen könnte, und da ich mich nicht aufdrängen will, stehe ich mutterseelenallein am Strand.

Ich bin der einzige Europäer in der kleinen Außensiedlung und für die Kinder eine Sensation.

Sie scharen sich um mich, tappen an mir herum, verspotten mich wegen meiner Nase, die nicht so plattgedrückt ist wie die ihrige, und treiben ihren Schabernack mit mir.

Die zwanzig Kinder sind schon fast zudringlich. Am liebsten möchte ich sie verscheuchen.

Aber schließlich bin ich hier Gast, also mache ich gute Miene und gehe auf sie ein.

Mitten aus dem Spiel heraus stehe ich plötzlich allein da. Wie vom Sturmwind verweht, flitzt der ganze Haufen – Buben und Mädel – ans andere Ende des Strandes.

Was ist los?

Am anderen Ende des Strandes hat sich ein kleiner Spatz auf den Ufersteinen niedergelassen, und diesen gilt es zu jagen.

Der aufgescheuchte Vogel fliegt auf den Fjord hinaus und ein Hagel von Steinen hinter ihm her. Übermut, schlechte Erziehung, mag man sagen. Vom Standpunkt einer Gesellschaft aus, die nur in den Supermarkt zu gehen braucht, um ihre Bedürfnisse zu befriedigen, ist das vielleicht richtig.

Für mich jedoch war diese kleine Episode der Ausdruck eines uralten Erbgutes, das den Nachkommen einer jahrtausendealten Jägerkultur heute noch im Blut sitzt.

Ein anderes Erlebnis im selben Sommer:

Ich bin mit Grönländern im innersten Scoresbysund zur Jagd unterwegs.

Wir legen mit unserem Kutter an der Danmark-Insel an, wo mein Freund Erich Hintsteiner einen Stützpunkt für seine Prospektierungen baut. Erich ist Salzburger und Leiter der gesamten geologischen Untersuchungen der Nordischen Minengesellschaft an der Ostküste Grönlands.

Ein Österreicher, der sein Heimatland im höchsten Norden würdig vertritt. In Erich verbindet sich eine starke Führungspersönlichkeit mit österreichischem Charme, großes fachliches Wissen mit persönlichem Mut und Draufgängertum zu einer glücklichen Synthese.

Er wird überall respektiert und geliebt. Wir ankern unseren Kutter und rudern an Land: Peter Brönlund, der Skipper, sein zehnjähriger Sohn Peter, die übrigen drei Mann der Besatzung und ich.

Herzliche Begrüßung mit Erich, der sich über unseren Besuch aufrichtig freut. Er zeigt uns sein neugebautes Haus, wir trinken Kaffee und werden fürstlich bewirtet, was besonders mir nach den Tagen der Seehunddiät auf dem Kutter sehr willkommen ist.

Da unser Funkgerät schon seit Tagen ausgefallen ist, funkt Erich für uns nach Kap Tobin und meldet, daß auf unserem Kutter alles wohlauf ist.

Nach einer guten Stunde brechen wir wieder auf. In dem allgemeinen Trubel hatte keiner bemerkt, daß der kleine Peter fehlte.

Wo steckt der kleine Kerl? Hat er etwas ausgefressen, weil er sich nicht blicken läßt?

Als er sieht, daß wir aufbrechen, läuft er uns von den Bergen herab entgegen. Behangen mit acht erlegten Schneehühnern. Ich schaue ihn fragend an und mache das Zeichen des Schießens, obgleich ich sehe, daß er kein Gewehr bei sich hat. Er schüttelt den Kopf und lacht. Dann bückt er sich nach einem faustgroßen Stein – wiegt ihn in der Hand – zielt – und trifft auf 30 Schritte Entfernung einen schneehuhngroßen Gesteinsbrocken. Dazu muß gesagt werden, daß auch auf der Danmark-Insel die Schneehühner nicht herumlaufen wie auf einem Hühnerhof und daß es mir kaum jemals möglich war, eines zu sichten.

Bei aller Leidenschaft, Freude und Liebe zur Jagd darf sie hier oben nie als Selbstzweck oder exklusiver Zeitvertreib verstanden werden. Hier ist die Jagd immer noch das, was sie von alters her war: Mittel zum Überleben. Was der Jäger heimbringt, ist die einzige Nahrung seiner Familie. Für den Erlös der Felle können in der kleinen Boutique zusätzlich noch jene Lebensmittel und Zivilisationsgüter erworben werden, die durch die Jagd nicht eingebracht werden können. Es gibt auch heute noch Sippen, die ausschließlich von der Jagd leben bzw. deren einziger Lebensunterhalt die Jagd ist.

Und doch – trotz ihrer Jagdleidenschaft, ihrer Notwendigkeit zur Erhaltung der Sippe, haben die Bewohner des Scoresbysund-Distriktes in den letzten Jahren einen geradezu bewunderungswürdigen Beweis ihrer inneren Einstellung zur Erhaltung einer wichtigen Tiergattung gegeben.

Es ging um die letzten Moschusochsen in Ostgrönland. Dieses Wildrind der Arktis, das als der letzte Vertreter der heute ausgestorbenen eiszeitlichen Fauna angesehen werden kann, war durch schonungslose Jagd der Ausrottung nahe. Es gab nur noch im Scoresbysund-Distrikt und auf den nördlich angrenzenden Inseln und Küstenstreifen einige hundert Stück, die letzten in ganz Grönland. Aber in Dänemark hat man die Situation rechtzeitig erkannt und 1950 – in letzter Stunde – ein Jagdverbot mit Gewährung stark begrenzter Jagdrechte der lokalen Bevölkerung erlassen. Lediglich im Herbst dürfen von den drei Siedlungen, die im Moschusochsenbereich liegen, Scoresbysund, Kap Hope und Kap Tobin, so viele Tiere erlegt werden, daß für Weihnachten pro Kopf der Bevölkerung 30 Kilo Fleisch entfallen.

Das Experiment war ein voller Erfolg.

Wenn man heute der Küste des flachen Jamesonlandes entlangfährt oder das Sydkap des Scoresbysund umrundet, kann man auf den saftigen Weiden immer wieder Rudel von 20 bis 30 Stück friedlich äsender Moschusochsen beobachten. Einen weiteren wirkungsvollen Schutz erfuhren die Moschusochsen durch das totale Jagdverbot in dem 1974 geschaffenen Nationalpark Nordostgrönlands.

Zu all diesen Schutzbestimmungen kommt noch die Tatsache, daß der Moschus außer dem Menschen keinen natürlichen Feind hat. Selbst der sonst sehr angriffslustige Eisbär meidet im allgemeinen eine Begegnung mit ihm. Als Einzelgänger kann er gegen die in Rudeln auftretenden Moschusochsen nichts ausrichten. Fühlen sich die Tiere von einem Angreifer bedroht, formieren sie sich sogleich zu der bekannten »Igelstellung«, bei der die starken Bullen mit ihren spitzen Hörnern außen stehen und die Kühe und Jungtiere in ihrer Mitte schützen.

Die Schonung der Moschusochsen an der Ostküste Grönlands hatte aber nicht nur den ideellen Sinn, eine vom Aussterben bedrohte Tiergattung zu erhalten, sondern auch den sehr realen, sich mit den Moschusherden einen Fleischvorrat zu bewahren, der, wenn Notzeiten über diesen am schwersten zugänglichen Teil Grönlands kommen sollten, der Bevölkerung auf Jahre das Überleben sichert.

Ermutigt durch den Erfolg der Ostküste, hat man nun auch im Söndre-Strömfjordgebiet an der Westküste Grönlands Moschusochsen aus Ostgrönland ausgesetzt.

Die Einhaltung des Jagdverbotes war ein Musterbeispiel an Selbstdisziplin der Jäger des Scoresbysund-Distriktes. Es ist nur zu hoffen, daß der »Internationale Eisbärvertrag« von Oslo denselben Erfolg hat. Eines allerdings müßte trotzdem verhindert werden: daß Eisbärfelle, auch wenn sie aufgrund des bestehenden Vertrages legal erbeutet worden sind, in den internationalen Fellauktionen zugelassen werden und in den Handel kommen. Sicherlich hätte dies für bestimmte Eskimosippen eine finanzielle Einbuße zur Folge. Doch müßte man damit erreichen können, daß nicht auch das letzte Eisbärfell verkauft und dem schnöden Mammon geopfert wird. Ich habe immer wieder erlebt, daß die Jäger alle Eisbärfelle zu Geld machten und dann bei 40 Grad Kälte mit gekaufter Baumwollkleidung zur Jagd fuhren und jämmerlich froren.

Vielleicht könnte man auf diese Weise erreichen, daß besonders in Gebieten mit extremen klimatischen Bedingungen wieder mehr Eisbärfellkleidung getragen wird.

Diese Gedanken beschäftigten mich, während wir in das »Eisbärental« hineinfahren. Von der Fährte des Bären ist nichts mehr zu sehen. Es hat allzusehr gestürmt in den letzten Tagen und Nächten und ist auch heute wieder bitter kalt.

Und dieser ewig bleierne Himmel!

Ich möchte endlich wieder einmal richtige Wolken sehen, die sich zu Bergen türmen, mit dem Wind Fangen spielen und denen man seine Gedanken und Sehnsüchte mitgeben kann.

Statt dessen sehe ich nur die ewig gleiche Zinnschüssel, die über den Scoresbysund gestülpt ist.

Jakob hat ein wunderbares Gespann.

Es ist ein schöner Anblick, die zwölf Hunde, zu einem Fächer gestaffelt, laufen zu sehen.

Erinaq, der Leithund, immer um Körperlänge voraus.

Größer und stärker als alle anderen, ist er sich seiner Führungsaufgabe voll bewußt. Er ist der Beherrscher des Gespanns, er hat sich seine Stellung durch Kämpfe errungen und behauptet sie mit blutiger Tyrannei.

Immer wieder blickt er zurück. Wage es ja keiner, mit schlapper Leine nur so mitzulaufen!

Während ich das gleichmäßige Wogen der zwölf Fellrücken beobachte, das flinke Spiel ihrer Beine und die kleinen Dampfwölkchen, die sie bei jedem Atemzug ausstoßen, gackern links von uns ein paar Schneehühner.

Noch kann ich sie nicht sehen. Ihr weißes Winterkleid gibt ihnen eine perfekte Tarnung in dieser Schneelandschaft. Jakob stoppt die Hunde, greift zum Gewehr und springt ab. Aufgeregt laufen die weißen Federbälle mit ihren langbefiederten Füßchen davon – fliegen auf – da krachen zwei Schüsse.

Das Abendbrot ist gesichert.

Die kleine Fangsthütte auf Kap Swanson ist alles andere als ein Luxushotel. Immer wieder erinnern mich diese kleinen Stützpunkte an unsere Notunterkünfte in den Alpen. Wir schaufeln den Eingang frei, vernageln ein vom Sturm oder von einem Eisbären eingedrücktes Fenster mit Pappkarton, räumen den Schnee von den Schlafpritschen weg und breiten die Felle aus.

In dem kleinen Raum mischt sich die eingesperrte Kälte mit dem Geruch von getrocknetem Blut und kaltem Rauch, ranzigem Tran und entleerten Gedärmen, Moder und Urin und erzeugt jenen Geruch, der als Dauerwolke über jeder Eskimosiedlung schwebt und der Monate später noch an den Kleidern haftet.

Hier allerdings ist der Gestank so beißend scharf, daß er mir fast den Atem nimmt.

Durch uns kommt eine neue Duftnote hinzu: der Rauch und Gestank unseres Petroleumkochers. Und während Jakob unsere Schneehühner kocht, kann ich die Tränen nicht verbergen. Allerdings nicht aus Rührung, sondern des Petroleumqualms wegen.

Wie oft hatte ich die Hunde bedauert, wenn sie draußen in der Kälte liegen mußten. Heute beneide ich sie der frischen Luft wegen. Am liebsten würde ich mich zu ihnen gesellen.

Um die Innentemperatur etwas anzuheben, läßt Jakob den Kocher die halbe Nacht brennen. Damit aber nicht genug, qualmt er gleichsam als Gegengift ohne Unterbrechung seine stinkende Pfeife.

Die Folge ist, daß ich mich die ganze Nacht schlaflos auf meinem Moschusfell wälze und von einem Hustenanfall nach dem anderen geplagt werde.

Am nächsten Morgen habe ich eine Art Rauchvergiftung. Jedenfalls ist mir speiübel. Mein Allgemeinzustand gleicht einem Katzenjammer nach einem »Petroleumgelage mit Rauchbombendessert«, und meine Kehle ist wie eine ausgetrocknete Erdölpipeline.

Ich erhole mich langsam wieder bei der Fahrt hinaus aufs Polarmeer.

Ganz zu mir aber komme ich erst, als Jakob nach einer Stunde das Gespann mitten auf dem weiten, schneebedeckten Polarmeer anhält, eine kleine Schaufel nimmt und neben dem Schlitten ein Loch gräbt.

Was soll das? Es ist für mich so unverständlich, daß ich langsam daran zweifle, daß in seinem »Oberstübchen« alles in Ordnung ist. Aber das hätte mir Elsner gestern vor unserer Abreise bestimmt gesagt. Es war ihm allerdings gar nicht recht, daß ich mit Jakob allein auf Jagd fuhr.

»Sicherlich, er ist unser bester Jäger«, meinte Elsner, »er ist aber auch der größte Raufbold und Schläger, ein Gewaltmensch, dem man alles zutrauen kann! Er schlägt uns in der Siedlung an jedem Spiritustag alles kurz und klein und tyrannisiert alle. In einer Stunde will er mit Ihnen nach Kap Swanson fahren? Der schlaue Fuchs!« Dabei huschte ein verständnisvolles Lächeln über das Gesicht des Handelschefs. Ich schaute ihn fragend an.

»Ich habe Jakob nämlich heute nachmittag in mein Büro bestellt, damit ich ihm wieder einmal die Flügel stutze. Ich wollte ihm damit drohen, daß, wenn er sich nicht bessert, ich ihn an die Westküste ins Kittchen schicke!«

Nun ging mir ein Licht auf!

Das war also der Grund, weshalb Jakob sich gestern vormittag so beeilte, mit mir nach Kap Swanson zu fahren.

Aber weshalb gräbt er jetzt ein Loch in das Polarmeer? Will er mich etwa beseitigen? Was hätte er für einen Grund dazu? Aber fragen Gewaltmenschen überhaupt nach dem Grund ihres Handelns?

Doch warum dann so umständlich, lieber Freund – draußen an der Eiskante könntest du es viel leichter haben.

Ein kleiner Stoß nur, völlig unbeabsichtigt natürlich, und ich schaue mir die Eisdecke von unten an. Ein Unfall – warum trat ich auch so nahe an die Eiskante heran! IMERA!

Aber das sind dumme Gedanken!

Jakob wird schon wissen, was er tut.

Ich steige vom Schlitten, gehe zu ihm hin und schaue ihm über die Schulter. Das Loch hat einen guten halben Meter im Durchmesser, auf seinem Grund kommt bereits Wasser durch, das einen Schneematsch bildet. Ich schaue Jakob fragend an. Er spürt meine Neugierde und hält in der Arbeit inne. Dann legt er die Schaufel beiseite, legt den Kopf in den Nacken und atmet kräftig ein. Er saugt sich die Lungen mit Luft voll und sagt »PIUSSE!«

Natürlich! Jetzt erkenne ich es auch: es ist das Atemloch eines Seehundes! Solche Löcher halten sich die Seehunde den ganzen Winter über frei, indem sie immer wieder das sich neu bildende Eis mit ihren scharfen Krallen wegkratzen.

Wie Jakob das zugewehte Atemloch in der Schneedecke erkannt hat, ist sein Geheimnis. Nicht umsonst gilt er als der beste Jäger der Siedlung.

Mit dem freigeschaufelten Loch ist es noch nicht getan. Jetzt gilt es, unter die Eisdecke ein mehrere Meter langes Netz zu hängen, in welches sich der auftauchende Seehund verstrickt. Dazu müssen noch zwei Hilfslöcher in das Eis geschlagen werden.

Die ganze Sache ist wohldurchdacht, aber ungemein mühsam und zeitraubend.

Mit zwei weiteren Atemlöchern, die Jakob auf dem Weg zur Eiskante noch findet, haben wir den ganzen Tag zu tun und sind froh, daß wir noch bei Büchsenlicht an die Eiskante kommen.

Ein Tag kann lang sein auf dem Polarmeer.

Bei einer Temperatur um minus 40 Grad, ohne Essen und Trinken, immer darauf bedacht, keinen Fehler zu machen.

Es ist wie beim Bergsteigen: ein einziger Fehltritt genügt – zu einem zweiten kommt es meist nicht mehr.

Jakob zeigt sich bei diesen Jagden von seiner besten Seite. Er geht auf meine Fragen ein, freut sich über mein Interesse und läßt mich tüchtig zupacken.

Ich wiederum bin froh, daß er mich als Gefährten akzeptiert und nicht als unliebsames Anhängsel behandelt.

Er ist umsichtig, man kann ihm vertrauen. Ich finde, er ist ein prima Kerl!

Nur schade, daß er drei Tage im Monat nicht ansprechbar ist: An den »Spiritustagen« nämlich. Sie sind eine leider sehr unerfreuliche Zivilisationserscheinung.

Wieviel Leid und Elend ist durch den Alkohol in die Welt gekommen! Die Vernichtung alter Kulturen, Ausrottung und Versklavung ganzer Völkerschaften, das alles geht auf sein Konto. Auch Grönland hat sein Alkoholproblem. Aber es ist dabei, es zu lösen. Natürlich nicht von heute auf morgen, es dauert seine Zeit.

Prohibition war noch nie eine endgültige Lösung. Daher hat man den Alkohol in Scoresbysund rationiert, in der Absicht, die Menschen langsam und in kleinen Mengen daran zu gewöhnen.

An jedem ersten Mittwoch im Monat ist »Spiritustag«. Da wird die Ration für den ganzen Monat ausgegeben und oft schon auf dem Heimweg ausgetrunken. Durch diese »Alkoholvernichtungsschlacht« ist es am Ausgabetag am ärgsten. Da randalieren alle, Männlein und Weiblein, jeder gegen jeden, und es ist am besten, man geht gar nicht vor die Haustür. Das halten die Dänen so und das hat man auch mir empfohlen.

Am zweiten Tag ist es schon wesentlich besser, die meisten liegen als Alkoholleichen in der Siedlung herum, und am dritten Tag beginnt das Leben sich langsam wieder zu normalisieren.

Heute kann Jakob für uns und die Hunde gerade noch einen kleinen Fjordseehund erlegen, dann breitet die Polarnacht ihre dunklen Schwingen über das weite Meer. Bei der Heimfahrt ist es schon so finster, daß wir kaum noch unsere Spur finden.

In der Hütte versuche ich zu helfen, wo es geht.

Jakob flenst den Seehund, ich hole Schnee und bediene den Kocher. Die besseren Stücke sind für uns, den Rest bekommen die Hunde, die heute wieder gefüttert werden müssen. Sie wittern schon das Blut und reißen an der Kette, jaulen und kläffen jämmerlich. Natürlich sind sie hungrig, denn sie haben seit unserer Abreise aus Scoresbysund nichts mehr zu fressen bekommen.

Heute haben wir den Brennerkopf des Kochers ausgewechselt. Das Qualmen ist behoben, und ich werde morgen früh keine Rauchvergiftung mehr haben.

Mit vollem Magen krieche ich in meine beiden Daunenschlafsäcke. Auch die Hunde sind still geworden.

Sogar das ewig ruhelose Meer liegt gefesselt unter der Decke aus Eis.

Das große Schweigen der Arktis hat sich über das Land gebreitet. Unsere Bretterhütte, erhellt von einer flackernden Kerze, ist wie eine kleine Insel im weiten Ozean der Polarnacht, die uns umgibt.

Neben mir liegt Jakob und raucht sein Pfeifchen. Angehöriger einer fremden Rasse zwar – aber doch einziger Freund und Vertrauter in einem Leben, das auf den einfachsten Nenner gebracht wurde.

Wieder einmal scheint mir die Zeitenuhr um Jahrhunderte zurückgedreht.

Pulsiert zur selben Zeit, da wir hier auf der Fellpritsche liegen, tatsächlich überall auf der Welt das zwanzigste Jahrhundert mit all seinen technischen und kulturellen Errungenschaften, mit seinem Reichtum und maßlosen Elend, all seiner Hektik und Brutalität?

Sind TV und Computer, »Apollo« und »Saturn«, das »Skylab« und der »Telstar« Realität oder nur Ausgeburten meiner erregten Phantasie?

»Nichts Menschliches ist mir fremd«; immer wieder erinnere ich mich dieser Worte, wenn ich mich an den äußersten Grenzen unserer Zivilisation bewege.

Jakob legt sein Pfeifchen beiseite, lächelt mit dem breiten, fast zahnlosen Mund zu mir herüber und murmelt etwas, das wohl »Gute Nacht« heißt.

»Gute Nacht, Jakob, bist ein feiner Kerl!« Er weiß zwar nicht, was das heißt, aber ich bin sicher, er hat mich dennoch verstanden. Wäre doch schade, wenn man ihn an die Westküste abschieben und dort ins Kittchen stecken würde. Solche Burschen wie ihn braucht die Ostküste.

Wenn er seiner Umwelt manchmal auch explosiv und hitzköpfig erscheint, steckt in seinem Innern doch ein guter Kern. Schließlich sind wir ja schuld, die wir dieses Teufelszeug von Alkohol produzieren und ihm und den Seinen zum Trinken geben. Und dafür unverschämterweise noch das Geld nehmen, das die Menschen hier unter Gefahren verdienen.

Ich schäle mich nochmals aus meinen Schlafsäcken und gehe vor die Hütte. Es ist sternenklar, und das Nordlicht flammt über den Himmel. Blaßgrüne Strahlenbündel schießen hinter dem südlichen Küstengebirge

Der innerste Scoresbysund ist die Heimat der Eisberge.
Ihre Größe ist eindrucksvoll und ihr Formenreichtum unerschöpflich

SUN MAID
RAISINS

des Scoresbysund empor und wandern gegen Kap Brewster, lösen sich über dem Polarmeer auf und erscheinen im Zenit als wallende Spiralen. Durch das Knarren der Hüttentür werden die Hunde lebendig.

Einer nach dem anderen erhebt sich, reckt und streckt sich und schüttelt sein dichtes Fell. Ich rede beruhigend auf sie ein und nähere mich ihnen. Kein Knurren, kein Zähnefletschen. Wir sind schon gute Freunde. Ich klopfe sie ab, einen nach dem anderen, kraule ihnen das zottige Fell und spüre, wie sie sich mit ihren kräftigen Leibern an mich drücken.

Es gibt eben Momente und Stimmungen, wo selbst die wildesten und rauhesten Geschöpfe dankbar sind für kleine Aufmerksamkeiten und gelegentliche Zärtlichkeiten. Und was wäre dafür besser geeignet als eine nordlichtdurchflammte Polarnacht?

Ich kann nicht lange bleiben. Die Kälte beißt mir fast das Gesicht weg und ich spüre, wie die Finger steif und gefühllos werden. Ich muß schleunigst wieder in die Hütte.

Breitbeinig steht Jakob am nächsten Morgen über dem ersten Atemloch, in das wir gestern das Netz hineingehängt haben. Behutsam, um nur ja nicht die Schnüre zu beschädigen, hackt er das Neueis auf, das sich in der Nacht gebildet hat. Dann schaufelt er die schwimmenden Eisstückchen heraus.

Ich bin neugierig, ob etwas im Netz ist oder unsere ganze Mühe und Arbeit umsonst war. Jetzt legt er die Handschaufel weg, ergreift den oberen Rand des Netzes und prüft erwartungsvoll das Gewicht, indem er das Netz leicht hebt und senkt.

Dann blickt er zu mir auf, lächelt mit einem Ausdruck, als ob er sagen wollte: »Wir sind auf eine Goldader gestoßen«, und läßt das Netz wieder ins Wasser zurückgleiten.

Vorsichtig, als könnte uns die Beute wieder entweichen, ziehen wir das Netz heraus. Gespannt blicke ich in das dunkle Wasser zwischen meinen Beinen. Da taucht ein runder Kopf mit langem Schnurrbart aus der Tiefe, zwei kleine Augen blicken mich ausdruckslos an, dann kommt ein glattes glänzendes Fell, von dem das Wasser abperlt, und ein massiger, für unser Loch viel zu großer Körper. Jakob und ich schauen uns an. Wir sind uns klar darüber, daß wir das Loch erweitern müssen. Also lassen wir das

Wenn ich nicht auf Schlittenreise war,
wohnte ich im Haus des Handelschefs Elsner

In den einfachen kleinen Hütten spüren die Kinder die Nestwärme

Netz nochmals hinunter, aber nur so weit, daß ich den Seehund an der Wasseroberfläche in der Schwebe halte.

Jakob vergrößert das Loch, schaufelt die Eisbrocken heraus, greift wieder zum Meißel, bis er meint, daß die Öffnung groß genug sei.

Dann versuchen wir es nochmals. Langsam, vorsichtig. Hoffentlich hält das Netz, es wäre schade um den fetten Brocken.

Ho-ruck! Ein letztes Stück noch – jetzt ist er da.

Für einen Mann allein wäre es gar nicht so leicht gewesen, den Seehund aufs Eis zu bringen. Der schwere Bursche hat sich im Kampf mit dem Netz so verstrickt und verwickelt, daß er einem riesigen Rollschinken gleicht. Jetzt gilt es, ihn aus dem Netz zu lösen, ohne die Schnüre zu beschädigen. Bei dieser Temperatur mit bloßen Fingern an dem steifgefrorenen Netz herumzunesteln ist wahrlich kein Vergnügen. Abwechselnd schlagen wir uns die Finger warm, und wieder einmal sehe ich, daß die Grönländer auch nur Menschen sind, daß sie genauso unter der Kälte leiden wie ich.

Nachdem wir den Seehund herausgelöst haben, hängen wir das Netz wieder hinein, verladen ihn auf dem Schlitten, und weiter geht's – zum nächsten Loch!

Zweimal wiederholt sich an diesem Tag das gleiche Spiel, dann erst können wir zur Eiskante weiterfahren. Durch die drei Atemlöcher sind uns täglich drei Seehunde gewiß. Natürlich begnügen wir uns nicht damit. Wir stellen ihnen nach, wo wir sie sonst noch kriegen können.

Bei diesen täglichen Fahrten sehe ich, wie wandelbar die Eiskante doch sein kann: heute ein schmaler Kanal, morgen offenes Wasser bis zum Horizont. An einem Tag fahren wir von unserem letzten Atemloch noch eine Stunde lang über dünnes Neueis hinaus zum offenen Meer, am nächsten Tag ist die Neueisdecke wieder aufgerissen, und das Wasser reicht fast bis zu unserem letzten Seehundloch. Es ist alles in Bewegung, in Fluß hier draußen. Wie sollte es auch anders sein bei den ungeheuren Strömungen, die zwischen Kap Tobin und Kap Brewster vom Polarmeer abzweigen und sich in den Scoresbysund wälzen.

Auch heute fahren wir wieder ein langes Stück über schwankendes Neueis. Diese Fahrten und das Herumbalancieren am Rande des offenen Polarmeeres kosten Nerven.

Ich habe mich in den letzten Tagen mehrmals dabei erwischt, wie ich beim leisesten Krachen des Eises zusammenzuckte. Auch heute wieder. Ich stand nur wenige Meter vom offenen Wasser entfernt, als ein unheimliches Geräusch mich zu Tode erschreckte.

Mir war, als würde das Eis unter meinen Füßen bersten. Ich stand wie gebannt und wagte nicht, mich zu rühren. Ich hatte Angst. Lähmende Angst. Ich getraute mich kaum zu atmen. Als der Schreck langsam abklang, schlich ich behutsam auf festeres Eis zurück.

Jakob, der einige Meter entfernt von mir stand, mußte bemerkt haben, wie es mich bei dem Knall durchzuckte. Er hatte die Angst in meinen Augen gesehen. Doch taktvoll, als ob er von nichts wüßte, kommt er zu mir zurück, legte das Gewehr auf den Schlitten und sagt: »Uvdlume ikke Piusse!« – »Heute keine Seehunde!«

Er sagt es so harmlos, als ob es wirklich nur um die Seehunde ginge. Dann ordnet er die Leinen und gibt mir das Zeichen zum Aufsitzen.

Er lenkt den Schlitten vom offenen Wasser weg und hält auf das aufgetürmte Packeis zu, das sich in der Ferne zeigt. Hier, zwischen Eisbergen von der Größe ganzer Wohnblocks und aufgetürmten Schollen, hält er sich gerne auf, das ist sein Eisbärrevier.

Ich bin froh, wieder festes Eis unter dem Schlitten zu wissen; außerdem hoffe ich, vielleicht doch einmal einem »Nanoq« zu begegnen.

Man weiß, daß Jakob sich nicht gerne stundenlang an einem Platz aufhält, um zu warten, bis etwas Jagdbares auftaucht. Vielmehr liebt er es, der Eiskante entlang zu fahren und vom Schlitten aus zu schießen – oder, so wie jetzt, in das Packeis zu fahren und es auf der Suche nach Bären zu durchstreifen.

Schon türmen sich die Schollen vor uns zu kleinen Gebirgen. Wir müssen absteigen und den Hunden über schwierige Passagen hinweghelfen. Teils heben wir den Schlitten vorne an, teils stemmen wir uns hinten gegen die Holme und schieben aus Leibeskräften. Wenn dann aber eine Strecke glattes, schneefreies Meereis vor uns liegt, werfen wir uns beide mit einem Hechtsprung auf den Schlitten, um nicht das Nachsehen zu haben.

Jakob hat seine zwei schärfsten Eisbärhunde freigelassen. Sie strolchen in weitem Abstand um uns herum, zeigen sich auf einem Eisberg, verschwinden wieder hinter dem Packeis und suchen auf diese Weise das weite Polarmeer nach Bärenfährten ab.

Unsere Schlittenhunde steuern auf einen Eisberg zu, dessen silbrige Flanken hoch über das Packeis hinausragen. Seine Form erinnert mich an den Großglockner. Hier der steile Hofmannsgletscher, oben der breite Rücken der Adlersruhe und darüber der Doppelgipfel mit der Pallavicinirinne, die ins wildzerklüftete Innere Glocknerkar – nein – auf das von Eisblöcken übersäte Polarmeer herabzieht.

In der Nähe meines »Großglockners« hält Jakob die Hunde an, deutet hinüber, sagt »NANOQ – NANOQ« und macht dabei das Zeichen des Schießens. Es dauert einige Zeit, bis er mir klargemacht hat, daß er hier vor zwei Wochen seinen letzten Bären geschossen hat.

Wir fahren weiter an die Rückseite des Berges, und in seinem Schatten hält Jakob das Gespann an, steigt ab und kramt in seinem Gepäck herum.

Wie immer in solchen Fällen, nütze ich die Zeit zu einem kleinen Fotoausflug.

Ich schieße einige Aufnahmen und kehre zum Schlitten zurück. Die Hunde liegen im Schnee, die Köpfe in den buschigen Schwänzen vergraben, und dösen vor sich hin.

Jakob aber arbeitet wie ein Besessener, um mit dem langen Eismeißel ein Loch in das dicke Meereis zu bohren. Ich helfe ihm und ahne noch nicht, daß ich bald den großen Ekel kennenlernen soll. Den fast unüberwindbaren Ekel, bei dem sich einem der Magen umstülpt und zum Hals herausquillt.

Das Loch wird tiefer und tiefer, doch das Eis will kein Ende nehmen. Es ist hier mindestens einen Meter dick. Einer von uns arbeitet mit dem langen Meißel, der andere schaufelt mit der kleinen, halbrunden Handschaufel die abgesprengten Eisbrocken heraus.

Nach zwei Stunden harter Arbeit stoßen wir endlich auf Wasser, worin ein Netz hängt. Und darin ist ein Seehundkadaver, den wir herausziehen.

Doch wie sieht er aus!

Das Fell ist durchlöchert wie ein Sieb, und aus jedem der fingerdicken Löcher wimmelt es hervor: fette Würmer, runde Maden, weiße Engerlinge; vollgefressen, daumendick, farblos wie Grottenmolche, da sie im Innern des Kadavers groß geworden sind und noch nie Tageslicht gesehen haben. Ich möchte wegschauen, ich kann den Anblick dieser fetten Schmarotzer nicht ertragen, wie sie bald zum einen, bald zum anderen Loch herausschauen und wieder verschwinden. Und doch werde ich von dem ekelerregenden Anblick immer wieder fasziniert.

Jakob drückt mit bloßen Fingern an den Löchern herum, doch bin ich überzeugt davon, daß er den Kadaver mitsamt dem ganzen Geschmeiß und dem Netz wieder ins Meer versenken wird.

Irrtum! Sorgfältig löst er den Kadaver aus dem Netz. Ich stehe dabei und rühre keinen Finger, kann den aufgedunsenen Aas-Kadaver nicht anschauen, noch weniger anfassen.

Wahrscheinlich will Jakob sein Netz retten, um es wieder zu verwenden.

Doch nachdem er es aufgerollt hat, packt er den Seehund bei den Schwanzflossen und schleift ihn über den Schnee zum Schlitten. Als er sich bemüht, ihn aufzuladen, erfaßt mich helles Entsetzen. Ich laufe ihm nach und versuche ihm klarzumachen, er möge den »Piusse« doch liegenlassen, ich bezahle ihm, was er wolle, wenn er ihn um Himmels willen nur nicht auf den Schlitten ladet. Er versteht wohl, was ich meine, merkt meine tiefe Abscheu und meinen schon fast hysterischen Ekel vor diesem zwar leblosen, aber von soviel scheußlichen Schmarotzern wimmelnden Kadaver. Den »Piusse« liegenlassen? Nein. Jakob hebt ihn näher zum Schlitten, drückt an einem Loch herum, es erscheint ein fetter weißer Engerling, den er herauszieht, lange betrachtet und dann den Hunden vorwirft.

Ich stelle mir vor, wie es wohl im Innern dieses Kadavers aussehen mag: wie diese fetten Würmer und Maden übereinander kriechen und krabbeln, sich durch die Eingeweide fressen; wie die fahlen Engerlinge sich durch die Gedärme winden und schlängeln und den Seehund von innen her aushöhlen.

Und dabei stülpt es mir den Magen um.

Ich schlucke, spucke und würge und habe das Gefühl, als hätte ich den Mund voll dieser widerlichen Parasiten. Aber ich beherrsche mich. Was nützt aller Widerstand, Jakob ist nun einmal der Stärkere. Er weiß, was er will. Also packe ich herzhaft den Kopf des Seehunds, da quellen die runden Augen heraus, und durch die leeren Höhlen zwängen sich zwei weiße Würmer.

Mit Ho-Ruck werfen wir den Kadaver auf die anderen Seehunde.

Bei der Heimfahrt halte ich anfangs noch einen gewissen Abstand, der jedoch mit zunehmender Müdigkeit immer kleiner wird, bis ich mich zu guter Letzt an die ekelerregende Fracht genauso anlehne wie an die übrige Ladung. Als wir am Abend auf unseren Fellpritschen liegen und Jakob sein Pfeifchen raucht, macht er mir klar, daß er dieses Netz im Oktober beim ersten Frost hineingehängt hat und dann den ganzen Winter nicht mehr dazu gekommen ist, es herauszunehmen.

Der schlaue Fuchs! Ich weiß genau, daß er einen Dummen gesucht hat, der ihm beim Graben des tiefen Loches helfen würde.

In mir hatte er ihn gefunden. Daß er mich damit das Grausen lehrte, kümmerte ihn wenig – konnte er wohl auch gar nicht begreifen.

Am nächsten Tag kam Jakobs ältester Sohn mit einem leeren Hundeschlitten, um die von uns erlegten Tiere nach Hause zu bringen. Der Vater war sichtlich zufrieden mit dem bisherigen Jagderfolg, sein Sohn glücklich über das viele Fleisch.

Nach diesem Rasttag zogen wir weiter auf Jagd. Jeden Tag holten wir unsere drei Seehunde aus den Atemlöchern und erlegten dann noch einen oder zwei an der Eiskante. Das genügte uns. Wenn wir früh genug daran waren, machten wir einen Abstecher in das feste Packeis, um nach Bären Ausschau zu halten, aber immer erfolglos. Der große Traum, eine Begegnung mit dem König der Arktis, wollte nicht wahr werden.

Dafür sollte ich die Arktis von einer anderen, nicht minder eindrucksvollen Seite kennenlernen.

Es war ein Morgen wie jeder andere.

Über dem Scoresbysund hängt anstatt des Himmels jener typische Zinnteller, den ich schon so satt habe.

Die Temperatur ist bis auf minus 25 Grad angestiegen. Es ist fast windstill. Über Land ist die Sicht gut, nur draußen auf dem Polarmeer, wo üblicherweise schon die Eiskante beginnt, lagert eine düster drohende Nebelwand.

Wir spannen die Hunde ein und fahren los.

Während der Arbeit am ersten Atemloch wende ich mich öfter als sonst der Eiskante zu, einem inneren Zwang folgend. Mir ist, als drohe uns von dort Gefahr.

Aber es ist doch nur der Nebel, der sich schwer und unheilvoll dahinwälzt. Ich versuche, diese Nebelwand mit den Augen zu durchdringen, halte den Atem an und horche – nicht nur mit den Ohren – mit allen Sinnen.

Ist da nicht ein fernes Rumoren, ein kaum wahrnehmbares Grollen in der Luft?

Ich beobachte Jakob, die Hunde. Noch ist an keinem etwas Ungewöhnliches zu bemerken. Vielleicht bin ich auch nur überreizt, sind wir schon zu lange allein.

Oder zerrt die dauernde innere Anspannung allzusehr an meinen Nerven? Ich wittere eine Gefahr, die uns umgibt, auf uns zukommt.

Diese Wolkenwand ist mir unheimlich.

Wir laden unseren ersten Seehund auf und fahren weiter zum zweiten Atemloch. Das Gefühl der Unsicherheit steigert sich, je weiter wir auf das Meer hinaus und der Nebelwand näher kommen. Ich kenne diese Art Nebel. Er bildet sich durch den großen Temperaturunterschied zwischen Wasser und Eis und tritt meist scharf begrenzt über dem offenen Wasser auf. Nur gelegentlich werden Wolkenfetzen hochgeschleudert wie Protuberanzen aus der Sonne.

Wir halten beim zweiten Atemloch, springen vom Schlitten und beginnen mit der Arbeit.

Horch – da ist es wieder, dieses Poltern. Näher bereits, bösartig, unheildrohend; wie eine Naturkatastrophe großen Ausmaßes, ein ferner Bergsturz etwa oder eine Eislawine, die über Bergflanken donnert Ich sehe Jakob an.

Er muß es doch auch hören. Wahrscheinlich spiegelt sich in meinem Ausdruck die Angst und Unsicherheit wider, die man einer Gefahr gegenüber spürt, die man nicht kennt.

Jakob hält in der Arbeit inne und deutet zur Eiskante: »Mange, mange Is«, sagt er und beschreibt mit der Hand eine Wellenbewegung, die vom Polarmeer zum Scoresbysund geht. Das also ist das Geheimnis, das sich hinter der düsteren Wolkenwand verbirgt: viel, viel Eis, das sich vom Polarmeer in den Scoresbysund wälzt.

Noch habe ich keine rechte Vorstellung von dem Schauspiel, das sich hinter diesem Nebelvorhang abspielt. Wir ziehen den Seehund aus dem Wasser und beginnen, ihn aus dem Netz zu lösen.

Da schreckt mich ein Donner auf.

Die Eisfläche schwankt wie bei einem Erdbeben. Ich taumle. Was ist los? Ich starre Jakob an. Er läßt alles fallen und springt auf.

Dann bricht es über uns herein: die Nebelwand teilt sich, und ein haushoher Eisstrom wälzt sich auf uns zu.

Mein Herz hämmert. Ich stehe wie angewurzelt und weiß nicht, was ich machen soll.

Näher, immer näher kommt das Verderben, ein aus allen Fugen geratener Gletscherstrom.

Eisberge werden hochgehoben, übereinandergetürmt, zerbrechen, Gischt spritzt auf, und mit einem Knall birst das Eis um uns.

Jakob und ich haben im selben Moment den Schlitten erreicht. Es war eine Flucht auf schwankenden Schollen.

Die Hunde sind aufgesprungen, zerren in wilder Panik an den Leinen, die einen wollen links, die anderen rechts ausbrechen. Jakob hetzt das Gespann in Richtung Küste. Hinter uns steigt ein Eisberg aus den Fluten, über seine Flanken rauscht das Wasser, er neigt sich gegen uns, als ob er uns noch im Sturz vernichten wollte, und kracht donnernd auf das Eis. Unser Seehund wird hochgeschleudert und verschwindet in dem Brei aus Wasser und Eis.

Unsere Scholle schwankt wie der Boden eines Vulkans.

Wird sie halten oder unter dem Schlitten bersten?

Aus den Eisspalten spritzen Wasserfontänen wie Geysire in die Höhe. Soll das unser Ende sein? Ein nasses, kaltes Ende vor Grönlands Küste?

Jakob peitscht die Hunde, er feuert sie an, holt das letzte aus ihnen heraus und kämpft wie ein römischer Wagenlenker. Ich klammere mich am Schlitten fest und starre auf das aufgerissene Polarmeer rings um uns, auf die brechenden Schollen und aufspritzenden Wasserfontänen. Zum Teufel, geht das nicht schneller?! Warum haben die Hunde nur so kurze Beine?

Das dauert eine Ewigkeit! Es ist wie im Traum: man rennt und rennt und kommt nicht vom Fleck und wird von einem schrecklichen Ungeheuer verfolgt.

Es dauert unendlich lange, bis wir wieder festes Eis unter dem Schlitten haben. Allmählich löst sich die Spannung. Jakob wendet sich nach mir um. In seinem Blick lese ich etwa die Worte: »Wieder Glück gehabt. Noch einmal davongekommen.«

Ja, die Eiskante hat viele Gesichter. Eines davon, und nicht gerade das freundlichste, hat sie uns heute gezeigt. Es wird mir lange in Erinnerung bleiben.

Im allgemeinen war sie mir jedoch bis heute freundlich gesinnt.

Entfernt nur noch dringt das Donnern des Eisstromes zu uns. Jetzt mag er toben und wüten, wir sind in Sicherheit. Daheim in den Bergen haben wir nach einem Erlebnis mit solch glücklichem Ausgang immer »Geburtstag« gefeiert. Mit einer Flasche Wein, anderen kleinen Genüssen, je nach Möglichkeit und Geschmack.

Wie aber schaut es bei uns auf Kap Swanson aus?

Jakob flenst einen Seehund, richtet die Fleischstücke für uns her und zerlegt den Rest als Hundefutter. Ich zünde den Kocher an und hole Schnee. Genau wie jeden Tag.

Dann sitzen wir uns am kleinen Tisch vor dem Fenster gegenüber. Es ist nicht gerade eine kultivierte Mahlzeit, aber sie schmeckt. Als Besteck hat jeder das Taschenmesser und seine zehn Finger, von denen der Tran tropft und die wir laut schmatzend ablecken. Jakob schiebt mir die besonders zarten Rippenstückchen zu, dazwischen trinke ich die fette, dunkelbraune Fleischbrühe, an die ich mich schon gewöhnt habe. Nach dem Essen gibt es noch ein paar Tassen Neskaffee. Damit geben wir dem Tag einen festlichen Abschluß.

Noch während wir beim Kaffee sitzen, gibt mir Jakob zu verstehen, daß er morgen nach Scoresbysund zurück will.

Eigentlich bin ich sehr froh darüber.

Ich habe mich zehn Tage nicht mehr gewaschen und bin nicht aus den Kleidern gekommen, nicht einmal meinen Daunenanzug habe ich abgelegt.

Stärker aber als die Sehnsucht nach Wasser und Seife ist der Wunsch, endlich wieder einmal einige Tage ohne innere Spannung verbringen zu können.

Das ständige Herumbalancieren an der äußersten Grenze des Eises und die drohende Möglichkeit, schon beim nächsten falschen Schritt die Eisdecke von unten zu sehen, zerrt an den Nerven.

»Ich wollte schon ein Hundegespann losschicken, um zu sehen, wie es euch auf Kap Swanson geht!« Mit diesen Worten empfängt mich am nächsten Tag Elsner in Scoresbysund.

»Keine Sorge, uns geht's gut! Es waren zehn herrliche Tage!«

»Trinken Sie eine Tasse Kaffee mit mir?«

»O ja, sehr gerne, aber vorerst möchte ich mein Daunenzeug ablegen, ich stinke schon 100 Meter gegen den Wind nach Blut und Seehundspeck!«

Nach einer oberflächlichen Bekanntschaft mit Wasser und Seife sitze ich dem Handelschef in seiner warmen, gemütlichen Wohnung gegenüber.

Das Wohnzimmer, in dem wir unseren Kaffee trinken, könnte ebensogut zu einem gepflegten bürgerlichen Haushalt in Dänemark gehören: in der Mitte des Raumes steht ein großer Eßtisch, an der einen Längsseite eine komfortable Sitzgarnitur; an den Wänden hängen Ölgemälde mit dänischen und grönländischen Motiven, Familienfotos und ein Bild des dänischen Königspaares.

Vor einem der Fenster an der Südseite steht ein großer Blumentisch mit grünen Blattpflanzen, offensichtlich der Stolz der Hausfrau.

Die eine Stirnfront wird eingenommen von einem imponierenden Bücherschrank. Bücher, Bücher, wohin man schaut, dazwischen einige Jahrgänge des National Geographic Magazin. Bei diesem Anblick erinnere ich mich der alten isländischen Sprichwörter: »Lieber ohne Schuhe, als ohne Bücher« und »Ein Mensch ohne Buch ist blind.«

Man merkt, daß es in Ostgrönland noch keine Unterhaltungsindustrie in Form kommerzieller Berieselung gibt. Hier hat man noch Zeit zum Lesen und schöpft sein Wissen aus guten Büchern und Fachzeitschriften.

Wenn das Wohnzimmer auch gemütlich und im guten dänischen Stil eingerichtet ist, den größten Eindruck auf mich machen doch die vielen grönländischen Kostbarkeiten, die geschmackvoll im Raum verteilt sind: die schwarzen, holzgeschnitzten Tanzmasken mit den langen Moschushaarsträhnen, ein mannshoher, gut 30 Kilo schwerer Narwalzahn, Walroßzähne und elfenbeingeschnitzte Tubelaqs, jene mystischen Wesen, halb Mensch, halb Tier, aus der geheimnisvollen Vorstellungswelt der alten Eskimos.

»What about Jakob? Was ist mit Jakob?« ist Elsners erste Frage.

»He is a smart boy! Er ist ein prächtiger Kerl! Mit ihm kann man Pferde stehlen!«

»Hab' ich mir gleich gedacht, daß Sie ihn verteidigen werden.«

»Nicht verteidigen, Elsner, aber mit Jakob muß man auf Jagd gewesen sein. Und die Flügel, die Sie ihm am Tag unserer Abreise stutzen wollten, und das Kittchen an der Westküste – ich hoffe, es ist alles wieder vergessen!«

»Bis zum nächsten Spiritustag!«

»Ich weiß, Jakob ist nun einmal eine explosive Natur. Aber auch eine große Jägerpersönlichkeit! Und schließlich – von wem bekommt er denn dieses Teufelszeug, von dem er so rabiat wird?«

»Damit also wollen Sie mich entwaffnen! Jakob hat Glück, daß er mit Ihnen auf Jagd war. Und die gestutzten Flügel und das Kittchen – okay, ich werde es vergessen. Übrigens«, sagt Elsner und betrachtet mich mit kritischen Blicken, »ich glaube, Sie fühlen sich in Ihrer selbstgewählten Rolle als grönländischer Eskimo recht wohl!«

»Was wollen Sie damit sagen, Elsner?«

»Kristian Sanimuinak erzählte mir, wie Sie auf der Rathbone-Insel ohne jeden Ekel das Hundefutter verschlangen.«

»Was hätte ich denn sonst machen sollen?«

Elsner mag recht haben.

Ich fühle mich wohl in der Gesellschaft meiner grönländischen Freunde. Wenn es auch oftmals rauh und ungehobelt zugeht bei unseren Schlittenreisen, wenn wir auch verdreckt und stinkend nach Hause kommen – wen stört das schon?

Ich weiß, meine Freunde in der Heimat würden die Nase rümpfen und ihre Frauen die Hände über dem Kopf zusammenschlagen, wenn sie mich hier sehen könnten. Auch ich war vorhin ganz entsetzt, als ich einen Blick in den Spiegel warf: die Haare wirr und verkrustet, die Lippen trocken und rissig, das Gesicht vom Frost zerbissen, vom Sturm gezeichnet und von einem wildwuchernden Bart eingerahmt.

Von den Händen gar nicht zu reden.

Ob diese Spuren des Polarwinters jemals wieder verschwinden? Als ob es darauf ankäme! Hier ganz bestimmt nicht. Auch bei den Burschen hier sind die Hände rauh und schmutzig, dafür aber die Herzen warm und gütig; sehr zum Unterschied von jener anderen, stinkfeinen Gesellschaft, bei der zwar die Hände warm und weich, dafür die Herzen kalt und gefühllos sind. Wie weit ist doch jene andere Welt von hier entfernt, auch in meinem Bewußtsein! Gibt es sie überhaupt noch?

ALS SKILEHRER BEI DEN ESKIMOKINDERN

Überall, wo es Schnee und Berge gibt, unterrichten österreichische Skilehrer, fährt man österreichisches Skigerät. Der Ruf Österreichs als Skigroßmacht überbrückt Kontinente, umspannt die Welt.

Daß dieser Ruf aber auch über das weite Polarmeer bis hierher nach Scoresbysund gedrungen ist, hat mich überrascht. Es lag nun an mir, diesen Ruf meines Heimatlandes hier, am Nordrand der Welt, zu bestätigen.

Den Anstoß dazu gab eine Kindergesellschaft bei Handelschef Elsner:

Eyvin, sein achtjähriger Sohn, feiert Geburtstag und darf sich dazu seine dänischen und grönländischen Freunde einladen. Aus diesem Anlaß kommt auch der neue Schullehrer, Herr Krab, zu einem kurzen Besuch.

Krab, der schon längst weiß, daß ich aus Österreich komme, verwikkelt mich in ein Gespräch und fragt mich kurzerhand: »Mr. Koglbauer, you are Austrian, so you should be an excellent skier! Als Österreicher sind Sie sicher ein guter Skifahrer, würden Sie unseren Kindern in Scoresbysund Skiunterricht erteilen?«

»Sehr gerne, Herr Krab, leider habe ich keine Ski.«

»Aber ich habe welche«, sagt Elsner und bietet mir ein Paar jener historischen Bretter an, durch die sich für mich das Rad der Skigeschichte um 30 Jahre zurückdreht. Es waren jene altehrwürdigen Östby-Mehrschichtenskier, die in den späten dreißiger Jahren auf den Markt kamen.

Ich erinnere mich noch genau meiner ersten Begegnung mit einem Paar solcher Bretter im Winter 1938.

Ich war damals Skilehrer in Davos.

Zur gleichen Zeit drehte Luis Trenker seinen Skifilm »Liebesbriefe aus dem Engadin« auf der Parsenn. Natürlich konnte ich der Verlockung, bei einem Trenkerfilm mitzuwirken, nicht widerstehen. Also hängte ich die Skilehrerei an den Nagel und ging zum Film. Meine Karriere begann als Skifahrer und Kamera-Assistent. Ich wurde Walter Riml und Hans Ertl zugeteilt, welche mit ihren Kurbelkästen die begeisternden und lustigen

Szenen einfingen: die tollen Schußfahrten und Schwünge über die stäubenden Pulverschneehänge der Parsenn, die halsbrecherischen Sprünge über Hüttendächer und Wächten und oft genug auch die unvermeidlichen Massenstürze mit kaputten Skiern, zerrissenen Hosen und faustgroßen Beulen.

Damals also, bei »Liebesbriefe aus dem Engadin«, fuhr Luis Trenker erstmals ein Paar jener norwegischen Östby-Skier. Sie machten großen Eindruck auf uns, die wir bis dahin nur Skier aus einem Stück Holz gekannt hatten.

Mit einem Paar solcher Bretter bewaffnet, stand ich am nächsten Tag oben am Skihang von Scoresbysund, inmitten einer Schar übermütiger, ausgelassener Eskimokinder, teils mit, teils ohne Ski.

Als Skiverkäufer warf ich einen routinemäßigen Blick auf ihre Schneeschuhe – und was entdeckte ich?

Das Firmenzeichen eines österreichischen Markenskis!

Ich mußte zweimal hinschauen, um es zu glauben: eines der kleinen Eskimomädchen hatte einen Ski »Made in Austria«. Hier, am Nordrand der Welt! Dieser österreichische Kinderski stach von den übrigen, meist selbstgefertigten Brettern so ab wie ein Porsche Carrera von einer Ansammlung von Pferdekutschen.

Von einem Skikurs im herkömmlichen Sinne war keine Rede. Erstens konnte ich mich mit den Kindern mit keinem Wort verständigen, und zweitens hatten sie nicht die geringste Absicht, etwas von mir zu lernen. Im Gegenteil: Voll kindlichem Übermut und sprühender Lebensfreude zeigten sie mir ihre Künste. In den Hang waren mindestens ein halbes Dutzend kleiner Sprungschanzen aus Schnee hineingebaut. Hier tobten die Kinder sich aus. Mit immer längerem Anlauf sausten sie über die kleinen Schanzen, um dann beim Aufsprung einen Salto zu schlagen, daß mir angst und bange wurde. Ihr ganzes Können bestand aus Geradeausfahren, Springen und daraus, sich in den Schnee zu werfen oder geworfen zu werden.

Ich erinnerte mich meiner früheren Kinderskikurse und zog Vergleiche. Ich versuchte durch methodisch richtigen Aufbau der Kurse alle Stürze möglichst auszuschalten, und bangte oftmals um die Knochen der Kleinen wenn sie trotzdem in den Schnee purzelten.

Wie anders ging es hier zu! Um wieviel wilder waren diese Kinder!

Wer den größten, weitesten und gefährlichsten Salto machte, war der Held. Da sie nicht bremsen konnten, fuhren sie einander nieder, spießten sich mit Skiern und Stöcken auf und brüllten vor Freude und wilder Begeisterung.

Nachdem sie sich eine Weile ausgetobt hatten, wollten die Kinder auch mich springen sehen.

»Östriger! Östriger!« riefen sie immer wieder und zeigten auf die größte der Sprungschanzen.

Doch der »Östriger« wollte nicht verstehen, ganz und gar nicht. Ich wußte, daß ich bei dieser Art Schanzen meine Überlegenheit im Skifahren nicht ausspielen konnte, und stellte mich dumm. Bis mich so ein kleiner Dreikäsehoch an der Hand nahm, zur nächstliegenden Sprungschanze führte und mir unmißverständlich klarmachte, daß ich endlich springen sollte.

Also entschied ich mich für einen Spaß. Ich zeigte auf die kleine Schanze, machte eine wegwerfende Handbewegung, mit der ich ausdrücken wollte, daß sie mir viel zu klein sei, streckte mich so hoch ich konnte und zeichnete mit dem Skistock die Höhe der Schanzen in die Luft, über die ich gewohnt war zu springen.

Schmunzelnd machte ich ihnen klar, daß ich in Österreich so weit zu springen gewohnt war wie von hier über die »Kirke« hinweg bis hinunter zu dem »Iluliaq«, dem Eisberg im Fjord.

Das mögen gut 300 Meter gewesen sein.

Das war ihnen denn doch zuviel. Sie hatten den Spaß verstanden und lachten aus vollem Herzen.

Nun brannte ich aber selbst darauf, ein paar Schwünge in den tiefen, lockeren Pulverschnee zu zeichnen. Wie würden die Skier mit der Holzlauffläche ohne Wachs und Stahlkanten zu fahren sein?

Ich warf einen Blick auf meine Bergschuhe.

Sie steckten in mittelalterlichen Schraubstockbacken und wurden von rostigen Kabeln umspannt. Meine lange Lodenhose war unten offen. Wenn ich in den tiefen Schnee hineinstapfte, schob er sich unter der Hose empor und wirkte auf die Unterschenkel wie eine kalte Kompresse.

Jedenfalls hatte ich vor dreißig Jahren, bei meinem Auftritt als Filmstar in Davos, eine bessere und elegantere Skiausrüstung gehabt als hier in Scoresbysund.

Währenddessen gab es unten bei der Kirche immer mehr Zuschauer. Alle wollten den »Östriger« Ski fahren sehen. Mein Skilauf wurde so ungewollt zu einem Schaulaufen, einer Demonstration österreichischen Skilaufes auf 71 Grad Nord. Doch weder meine langgezogenen Parallelschwünge noch die kürzesten Wedler machten irgendwelchen sichtbaren Eindruck auf die Kinder. Die besseren Fahrer versuchten es zwar nachzumachen, doch endete ihre Fahrt bald in einer riesigen Schneewolke. Wieder tobte alles vor Freude und Begeisterung. Bei mir aber klatschten nur ein paar Erwachsene Beifall.

Ich nahm mir nun die besseren Fahrer einzeln vor. Doch ohne Erfolg. Das Lernen und Üben war ihnen offensichtlich zu langweilig. Also steckte ich am ausgefahrenen Hang einige Stangen und versuchte mit dem Slalom für das Bogenfahren zu werben. Ich hoffte im stillen, daß jemand schon etwas davon gehört hatte. Zuerst schien es, als ob ich Erfolg haben würde. Die Kinder versuchten es wenigstens ein paarmal. Nachdem sie aber mit ihren Fortschritten nicht zufrieden waren und immer wieder purzelten, packte sie die helle Wut. Sie wollten es einfach nicht wahrhaben, daß der Östriger besser Ski fahren konnte als sie.

Um vom Bogenfahren wegzukommen, räumten sie mit den Stangen gründlich auf, fuhren sie über den Haufen und schlugen sich mit den Trümmern gegenseitig fast die Köpfe ein.

So endete mein erster Skikurs in Grönland mit einer herzerfrischenden Rauferei um die Slalomstangen.

Es war ohne Zweifel mein bisher größter Versager als Skilehrer. Ein klarer Mißerfolg!

Am nächsten Tag fuhr ich mit einem Hundeschlitten wieder auf Jagd. Als ich nach einigen Tagen zurückkam, hüpften die Kinder zwar noch immer über ihre kleinen Schanzen mitten in der Siedlung, doch an abseits gelegenen Hängen entdeckte ich Bogenspuren, die früher nicht dagewesen waren.

Sollten sie in der Zwischenzeit die Freude am Bogenfahren entdeckt haben? Hat sie ihr kindlicher Ehrgeiz doch nicht ruhen lassen?

In den Stauningsalpen 1957.
Bei dieser Bergsteigerexpedition entflammte meine Liebe zu Grönland

Um es aber dem Östriger nachzumachen, suchten sie entlegene Pulverschneehänge auf, wo sie ungestört waren und niemand sie sah.

Ich bin in der Folgezeit noch viel mit den Kindern Ski gefahren. Wir haben schöne Wanderungen gemacht, die für die Jugend mit ihrer einfachen Ausrüstung oftmals nicht ohne Komplikationen abgingen.

Einmal war es ein Ski, der kaputtging, dann wieder eine der primitiven, meist selbstverfertigten Bindungen.

Auch heute waren wir wieder auf einem kleinen Gipfel oberhalb der Siedlung. Dabei hatten wir ein lustiges Erlebnis: ein kleiner Knirps wollte mir mit seinem Können besonders imponieren. Er hatte ein Paar viel zu großer Gummistiefel an, die mit für ihn viel zu langen Skiern verbunden waren. Auf dem Gipfel stellte er sich neben mich in Positur, wischte mit dem Ärmel über die rinnende Nase und zeichnete eine Schneckenspur übers ganze Gesicht. Als er merkte, daß ich ihn beobachtete, fuhr er los. Aber nicht wie die anderen vor ihm in unserer Aufstiegsspur, sondern den steilen Hang in Schußfahrt hinunter.

Das konnte nicht gutgehen.

Hier war offensichtlich der Mut größer als das Können. Es dauerte auch nicht lange, da wirbelte eine Schneewolke auf, und daraus lösten sich zwei Skier mit einem Paar Gummistiefeln darauf und sausten lustig hüpfend zu Tal. Der kleine Kerl aber saß prustend im Schnee und mußte auf Socken seinen entflohenen Skiern nachlaufen. Das kommt davon, wenn man mit den Gummistiefeln und Skiern seines großen Bruders angeben will!

Als wir am Nachmittag von diesem kleinen Ausflug in die Siedlung zurückkamen, gab es dort einige Aufregung: Matthias Bajare, ein Jäger aus Kap Hope, war gestern mittag mit seinem Hundegespann von Scoresbysund aufgebrochen und bis jetzt noch immer nicht in der 20 Kilometer entfernten Siedlung Kap Hope eingetroffen.

Irgend etwas mußte passiert sein – aber was?

Sollte er sich im Schneesturm verirrt haben und auf dem weiten Polarmeer herumirren? Oder ist er mit seinem Schlitten durch das Eis gebrochen und im Meer versunken? Der Gedanke an Matthias Bajare quält mich. Ich finde keine Ruhe und habe plötzlich keine Freude mehr an der

Flughafen Mesters Vig, man ist überrascht, hier einen so großen, gepflegten Flughafen anzutreffen

Fächerförmig laufen die Hunde auf dem freien Meereis

Holzmaske, die er eigens für mich geschnitzt und mir gestern nach Socresbysund gebracht hatte.

Ich fühle ein gewisses Schuldbewußtsein, da er meinetwegen gekommen war.

Ich mag die Maske nicht mehr anschauen. Es liegt etwas Dämonisches in den verzerrten Zügen: der schiefe Mund und die wulstigen Lippen, die negroide Nase und mongoloiden Schlitzaugen wirken plötzlich abstoßend auf mich; dazu kommen noch die Moschushaarsträhnen, die wie ein schwarzer Schleier über dem Gesicht hängen.

Man soll Geister und Dämonen nicht beschwören, auch nicht in Form einer Maske. Höhnisch grinst mich die dunkle Fratze an und läßt die eingesetzten weißen Zähne besonders hervortreten.

Ach was, es kommt doch nur darauf an, wie man eine Sache sieht. Die Maske ist doch nichts weiter als ein von Menschenhand bearbeitetes Stück Treibholz, der Teil eines Baumes, der irgendwo in den sibirischen Wäldern gestanden haben mag.

Wieviel Jahre hat wohl seine Reise von Sibirien ins Eismeer und von dort über den Nordpol bis in den Scoresbysund gedauert?

Während dieser Gedanken geht die Tür auf, und Elsner steht vor mir: »Wir werden Bajare suchen müssen. Vielleicht finden wir ihn, bevor es zu spät ist. Wollen Sie mitkommen?«

»Natürlich komme ich mit. Mit welchem Schlitten kann ich fahren?«

»Vielleicht mit Jakob Sanimuinak, er hat kräftige Hunde und ihr seid ohnehin dicke Freunde!«

»Wenn es Jakob recht ist, fahre ich gerne mit ihm.«

»Ich werde mit ihm reden. Ziehen Sie sich warm an, die Nacht wird lang und kalt. Ich gehe inzwischen in mein Büro, vielleicht gibt es etwas Neues.«

Mit diesen Worten verschwindet Elsner wieder in den dunklen, stürmischen Winterabend.

Während ich mich für die nächtliche Schlittenreise fertig mache, erinnere ich mich nochmals des gestrigen Beisammenseins mit Bajare.

Wir saßen an diesem Tisch hier, tranken Kaffee und plauderten, das heißt unterhalten hatten sich eigentlich nur er und Elsner, ich war stiller Zuhörer, da ich von ihrem dänisch-eskimoischen Kauderwelsch kein

Wort verstand. Gegen Mittag begleitete ich den Gast hinüber in die kleine Boutique, wo er noch einige Einkäufe machte.

Er verlangte Patronen und bezahlte.

Dann suchte er Süßigkeiten für die Kinder aus – und bezahlte. Dabei erinnerte er sich, daß er noch einen Glaszylinder für die Petroleumlampe brauchte – und bezahlte.

So ging es weiter. Vor dem Laden lag sein Hundegespann im Schnee. Er verstaute die gekauften Waren in der hinteren Tasche des Schlittens, nahm den Hunden die Vorderpfoten aus dem Brustgeschirr und ordnete die Leinen.

Dann sprang Bajare auf den Schlitten und war im nächsten Moment im Schneetreiben verschwunden.

»KUJANAK! KUJANAK! INVUDLUARIT BAJARE!« – »Danke, Danke, auf Wiedersehen, Bajare!« Er konnte es nicht mehr hören. Eine Sturmbö riß mir die Worte vom Mund.

Zugegeben, das Wetter war nicht gut. Es stürmte und schneite, die Sicht war schlecht. Trotzdem aber hätte ich nie gedacht, daß Bajare die 20 Kilometer entfernte Siedlung Kap Hope nicht erreichen würde, noch dazu auf einem Weg, den er mit seinem Hundeschlitten sicherlich schon hundertmal gefahren war.

Anscheinend ist auf die Hunde in bezug auf die Orientierung kein Verlaß. Haben sie wirklich ein schlechtes Orientierungsvermögen, oder hat sie Bajare in die falsche Richtung gelenkt? Man müßte meinen, daß gerade diese Hunde sich den Instinkt des Heimfindens erhalten haben müßten.

Wenn ich dagegen an unsere Brieftauben, Jagdhunde oder an die vor Intelligenz nicht gerade strotzenden Kühe denke! Ich kenne einen Fall, wo eine verkaufte Kuh am nächsten Tag über Berge und Täler hinweg wieder vor ihrer heimischen Stalltür stand.

Allerdings – und das muß man bedenken – nicht bei Nebel und Schneetreiben.

Plötzlich springt die Tür auf, und mit einer Wolke von Kälte und Schnee steht Elsner im Zimmer: »Bajare ist vor einer Stunde in Kap Tobin eingetroffen!« Wie ein Blitz durchzuckt es mich: »Er lebt also.« Die freudige Nachricht geht wie ein Lauffeuer durch die Siedlung und erfüllt unsere Herzen mit Dankbarkeit. Wie schön, einen guten Freund noch unter den Lebenden zu wissen.

Wie ich später erfuhr, irrte der Arme die ganze Nacht im Schneesturm auf dem Fjord umher, meist neben dem Schlitten einherlaufend, um sich am Leben zu erhalten. Als der Morgen dämmerte, hatte er sich so hoffnungslos verirrt, daß es nur noch vom Zufall abhing, wohin er geraten würde, an irgendeine Küste oder hinaus auf das freie, unendliche Polarmeer. Durch einen glücklichen Zufall landete er am zweiten Abend in Kap Tobin. Erfrierungen an Gesicht und Händen waren der Tribut, den er dem Wetter zollen mußte. Trotzdem konnte er froh sein, so glimpflich davongekommen zu sein.

EIN KLEINER SCHNEESPATZ BRINGT DEN FRÜHLING

Ich kann nicht mehr auf große Schlittenreisen gehen, da in den nächsten Tagen das Flugzeug erwartet wird, das mich wieder in die Heimat bringen soll.

Wenn ich diese Maschine versäume, muß ich bis zum ersten Schiff im Sommer hierbleiben. Es gibt in der Zwischenzeit keine Verbindung mit Europa und der übrigen Welt.

Ein versäumtes Flugzeug – und drei weitere Monate in Grönland! Der Gedanke reizt mich. Besonders jetzt, wo der Polarwinter zu Ende geht und der Frühling bald kommen wird. Die Verlockung, ihn in Scoresbysund zu erleben, ist groß – sehr groß sogar!

»Fahr mit Jakob Sanimuinak hinaus nach Kap Swanson, auf die Rathbone-Insel, fahr irgendwohin und laß die Maschine fliegen!

Dann kannst du drei Monate länger in Grönland bleiben, das du so liebst. Kein Mensch in der Heimat wird jemals erfahren, daß du das Flugzeug freiwillig verpaßt hast. Ein Schneesturm, ein verstauchter Knöchel – irgendein Mißgeschick hat dich festgehalten. Erleb das Aufbrechen des Meereises und das Wunder des arktischen Frühlings!«

Ist es nicht dieselbe innere Stimme, die mich vor zwei Monaten bei der Landung auf dem Meereis wieder die Maschine besteigen hieß? Die mich feige und schwach sehen wollte und beim Anblick der gefrorenen Gesichter der Eskimos zur Flucht vor dem arktischen Winter und Aufgabe meines Unternehmens überreden wollte?

Nein – ich habe dieser Stimme damals getrotzt – ich werde ihr auch heute nicht nachgeben!

Ich bin hineingeboren in die Zivilisation und habe mich an ihre Spielregeln zu halten. Und diese Spielregeln verlangen Korrektheit und Pflichtbewußtsein, Verzicht auf Grönland, auch wenn die Verlockung noch so groß ist.

Man sagt, daß der Frühling in der Arktis die schönste Jahreszeit sei. Es kann nicht mehr lange dauern, bis er seinen Einzug hält. Zwar liegt die Welt noch unter Schnee und Eis, wenn man aber genau hinschaut, merkt man schon kleine Veränderungen in der Landschaft. So zum Beispiel oben auf der runden Kuppe über dem Skihang: dort steckt schon seit Tagen eine neugierige Zwergweide ihre ersten zarten Triebe aus dem Schnee. Oder unten in der Siedlung: dort wird der Schnee von Tag zu Tag schmutziger, und rund um die Hütten tritt immer mehr Abfall zutage. Der Schnee verdunstet durch die Trockenheit der Luft, ohne zu schmelzen.

Auch sonst merkt man untrügliche Zeichen des beginnenden Frühlings: die Luft, der Himmel und der Horizont – alles erscheint mit einemmal ganz anders. Der ewig bleierne Himmel, der den ganzen Winter hindurch über den Scoresbysund gestülpt war, ist einem zarten, durchsichtigen Blau gewichen, die Luft ist transparent und läßt seit Tagen schon Kap Brewster und das südliche Küstengebirge ganz nah erscheinen.

Und – ist es Einbildung oder Tatsache – lachen nicht auch die Mädchen freundlicher, herausfordernder? Sie alle, die den ganzen Winter vermummt durch die Siedlung huschten, scherzen und lachen mit den Burschen und werfen ihnen auffordernde Blicke zu. Aber das alles, die jungen Triebe der Zwergweide, der blaue Himmel und selbst die koketten Blicke der Mädchen, macht noch lange keinen Frühling.

Der erste wirkliche Frühlingsbote sitzt eines Morgens auf dem Dach der Boutique. Aufgeregt wie ein nervöser Spatz hüpft er auf dem First herum. »Snowsparrow«, Schneespatz, nennen ihn deshalb die Dänen, obgleich es eigentlich eine kleine Schneeammer ist.

Sie flattert auf, zwitschert ihr zweisilbiges »tihjüh«, »tihjüh«, fliegt von Dach zu Dach, plustert sich auf, putzt ihr schwarz-weißes Gefieder und tut so wichtig, als ob sie von der stillen Freude wüßte, die ihr Erscheinen in der Siedlung auslöst.

Und tatsächlich hat jeder Erwachsene, der an diesem Morgen in die Boutique gekommen war, einen Moment innegehalten und mit einem Lächeln hinaufgeschaut zu dem kleinen putzigen Federball auf dem Dachfirst. Dabei mag jeder denselben Gedanken gehabt haben: jetzt ist der Frühling nicht mehr fern.

Die Kinder aber, die im Sommer hinter jedem Vogel her sind wie die Katze hinter der Maus, sind alle toll vor Freude und Begeisterung. Aufgeregt laufen sie mir entgegen und zeigen schon von weitem auf das kleine runde Ding, das zwischen den Hütten hin und her flattert. Die kleine Schneeammer bleibt nicht lange allein.

Am selben Tag noch wird es in der Siedlung lebendig. Überall trifft man auf die runden Federbälle; sie zeigen sich auf den vom Sturm kahlgewehten Kuppen genauso wie auf den immer häufiger zutage tretenden Abfallhaufen vor den Hütten. Und schneller, als man es gewahr wird, füllt sich die Siedlung mit piepsendem, zwitscherndem Leben.

Natürlich ist es noch lange nicht Frühling in unserem Sinne, aber nach den 45 Grad minus im Hochwinter sind die 15 bis 18 Grad, die es in den letzten Tagen hatte, immerhin schon frühlingshaft. Ich gehe seit Tagen nur in Hemd und Pullover und muß trotzdem aufpassen, daß ich bei heftigen Bewegungen nicht in Schweiß gerate.

Jetzt wird das Flugzeug wohl bald kommen. Die Nachrichten aus Island überstürzen sich. Dreimal waren wir schon mit dem ganzen Schlittenkonvoi draußen auf dem Polarmeer, um die Maschine zu erwarten. Gestern wäre es beinahe zu einer Landung gekommen. Wir hatten am Morgen einigermaßen gute Wetterverhältnisse, so daß die DC 3 in Reykjavik startete. Während des Anfluges aber verschlechterte sich das Wetter, und bald wälzte sich vom Inlandeis her eine Wolkenfront gegen den Scoresbysund. Während wir in einem, wie es schien, bodennahen Schneesturm auf dem Polarmeer standen, hörten wir über uns die Maschine kreisen. Da bei diesen Wetterverhältnissen an eine Landung nicht zu denken war, mußte die Maschine wieder abdrehen und nach Island zurückfliegen. Im Geleitzug, ein Schlitten hinter dem anderen, fuhren wir wieder heim in die Siedlung. Schnee peitschte uns ins Gesicht und ließ uns alles vergessen, was in den letzten Tagen an den nahenden Frühling erinnert hatte.

Selbst die Hunde ließen die Köpfe hängen.

Mit einem Schlag ist es wieder Winter geworden!

Die neuen Triebe der Zwergweide sind vom Schnee zugedeckt, die kleinen Schneeammern verschwunden – und die jungen Mädchen? Sie sind die einzigen, die noch an den nahen Frühling glauben!

In kleinen Gruppen stehen sie in der Boutique herum, schäkern mit den Burschen, lachen und kichern und kreischen laut auf, wenn einer einmal handgreiflich wird.

Auch ich halte mich viel und gerne in der Boutique auf.

Sie ist im Winter der gesellschaftliche Mittelpunkt der Siedlung. Hier ist es warm, man trifft sich bei einer Flasche Limonade zu einem kleinen Plausch, so wie man sich bei uns ins Kaffeehaus setzt, und anstatt in Illustrierten, schmökere ich im Bücherregal herum. Was es da alles zu entdecken gibt: neben dem »Everest-Buch« von Sir John Hunt steht »Madame Curie« und neben der »Odyssee« Heyerdahls »Kon-Tiki«. Ja, selbst »1001 Nacht« ist vertreten. Alle diese Werke sind ins Eskimoische übersetzt. Zwischen den Büchern finde ich auch einige Ausgaben des »ATUAGAGDLIUTIT«, der »GRÖNLANDPOSTEN«, Grönlands ältester Zeitung.

Auf der ersten Seite lese ich das Datum: »GODTHAB UKIUT 109-IAT«. Der 109. Jahrgang. Die Zeitung wurde 1861 in Godthab gegründet, erscheint seither regelmäßig in eskimoischer und dänischer Sprache und ist somit 23 Jahre älter als die Entdeckung der ostgrönländischen Eskimos. Dabei kommt es mir wieder einmal zum Bewußtsein, welch kurze Zeitspanne die Menschen, mit denen ich hier zusammen bin, erst dem Steinzeitdasein entrissen sind. Kaum länger als ein Menschenalter.

Ich nehme einige Exemplare des »ATUAGAGDLIUTIT« zur Hand und blättere darin. Beim dänischen Text komme ich mir vor wie ein ABC-Schütze, beim eskimoischen wie ein Analphabet! Am besten komme ich noch mit den Zeichnungen und dem Reklametext zurecht und kann gerade noch unterscheiden zwischen Haarwasser und Gummistiefeln, Fußbalsam und Schokolade. Da die Zeitung an der Westküste erscheint, ist auch das Warenangebot entsprechend groß. Was es da alles zu kaufen gibt!

Bootsmotoren und Nähmaschinen, Zahnpasta und Schönheitscreme, dänischen Camembert und amerikanischen Kaugummi – und – was bei uns wie ein schlechter Scherz klingen mag, an der Westküste aber längst zur Tatsache geworden ist – eine angesehene dänische Firma bietet den Eskimos in Grönland einen 240-Liter-Kühlschrank in Luxusausführung zum Preis von Kr. 1340,- an!

Mit dieser Anzeige wird mir das Zivilisationsgefälle von der West- zur Ostküste wieder klar vor Augen geführt.

Ich klemme mir die Zeitungen unter den Arm und gehe damit zur

Kasse. Die mandeläugige Kassiererin mit den dunklen Haarsträhnen lächelt beim Anblick der Zeitungen, da sie weiß, daß ich schlecht Dänisch und schon gar nicht Eskimoisch kann. Wahrscheinlich erinnert sie sich meiner stümperhaften Bemühungen, mit ihr ins Gespräch zu kommen, als wir vor zwei Jahren mit der »THALA-DAN« gemeinsam von Dänemark nach Scoresbysund fuhren. Damals kam sie aus der Schule in Kopenhagen – heute ist sie bereits verheiratet. Sie hat am Ostersonntag einem Angestellten der Boutique ihr Jawort gegeben.

Es war ein reizendes Paar, das an jenem Vormittag in der schmucken grönländischen Volkstracht die Kirche verließ: die Braut in weißen Seehundstiefeln mit dunklem Pelzabschluß, einer Seehundfellhose, einem rosa Oberteil und dem Umhang aus Tausenden bunter Glasperlen; ihr junger Gatte in dunklen Stiefeln, dunkler Hose und dem blütenweißen Sonntagsanorak aus Baumwolle.

In ihrer Jugend glichen sie eher Konfirmanden als einem Brautpaar.

Ich bezahle die Zeitungen und versuche der jungen Frau klarzumachen, daß ich in den nächsten Tagen nach Dänemark und Östrige zurückfliegen werde. Dann verabschiede ich mich und lächle ihr nochmals zu: »INVUDLUARIT THALA-DAN!« »Auf Wiedersehen auf der THALA-DAN!« – »IMERA!« – »Vielleicht!« meint sie mit einem verschmitzten Lächeln und blickt etwas verlegen zu ihrem Mann hinüber.

Auf dem Weg von der Boutique zu Elsners Wohnung treffe ich Kristian: »Kuta Kristian!« sage ich und zeige ihm meine zerschundenen und zerkratzten Hände, deren größere Wunden notdürftig mit Leukoplast verklebt sind. Er schaut mich bedauernd an. »Lilli Nanoq«, sage ich, »die kleinen Eisbären.« Als er hört, daß diese es waren, die mich so zugerichtet haben, bekommt er einen Lachkrampf. Er lacht, daß ihm die Tränen in die Augen treten, und gibt mir zwischendurch Ratschläge, die ich nicht verstehe. Als er meinen verständnislosen Ausdruck sieht, macht er mit beiden Händen das Zeichen des Ohrfeigens.

Du hast gut lachen, Kristian, du bist es gewohnt, mit solch kleinen Biestern umzugehen. Aber woher sollte ich es können? Du meinst also, ohrfeigen sollte ich sie, so wie man ungezogene Bengel bestraft?

Im Grunde meines Herzens tun sie mir leid, die beiden kleinen Fellknäuel, die seit einigen Tagen bei Elsner einquartiert sind.

Kristian hat die beiden drolligen Eisbärjungen zum Handelschef in Pflege gegeben, da er keinen Platz für sie hat. Es sind zwar liebe, aber auch ungehobelte, wilde Gäste, die noch keine Ahnung davon haben, wie man sich in der Zivilisation benimmt, und glauben, mit ihren messerscharfen Zähnen und spitzen Krallen jeden beißen und kratzen zu können, der sich ihnen nähert; die mit lautem Schmatzen literweise angerührte Trockenmilch schlürfen, im nächsten Moment aber den ganzen Haushalt tyrannisieren und die Frauen in Angst und Schrecken versetzen; die es einfach nicht verstehen können, daß man ihr weißes, glänzendes Fell auch einmal kraulen möchte, ohne nachher einen Arzt aufsuchen zu müssen. Unterwegs nehme ich mir vor, die beiden Bärenkinder nach Kristians Ratschlägen zu behandeln.

Ich öffne die Tür zu der Kammer, in der sie eingesperrt sind.

»Nun, ihr beiden Wildfänge, habt ihr wieder etwas ausgefressen?«

Friedlich liegen sie in einer Ecke. Ineinander verschlungen wie ein einziger weißer Fellknäuel. Lediglich zwei schwarze Schnauzen und vier dunkle Augen lassen erkennen, daß es sich um kleine Eisbären handelt. Regungslos liegen sie da, nur die Augen sind auf mich gerichtet. Ich trete einen Schritt näher. Da fauchen sie mich zornig und wild an.

Natürlich kann man es verstehen, daß zwei Eisbärenbabys, deren Mutter von einem Jäger erlegt wurde, uns Menschen nicht mögen.

Aber was hätte Kristian machen sollen?

Er konnte nicht anders, als die Bärin, der er sich plötzlich gegenübersah, zu erlegen. Hätte er es nicht getan, wäre er von ihr getötet worden.

Aber woher können die beiden Kleinen auch wissen, daß in der Arktis das Gesetz des Stärkeren gilt? Daß immer der Schwächere dem Stärkeren als Nahrung dient?

Der Mensch ist zwar nicht der körperlich Stärkere, aufgrund seiner Intelligenz aber der Überlegenere. Und Intelligenz und Schlauheit sind in den meisten Fällen auch mehr wert als Kraft.

Kristian konnte ja auch nicht ahnen, daß in einer Schneehöhle nebenan zwei unversorgte Eisbärenbabys auf ihre Mutter warteten.

Mit ruhiger Stimme rede ich begütigend auf die jungen Tiere ein.

Laßt uns doch Freundschaft schließen! Wir meinen es ja gut mit euch. Elsner wird euch füttern und pflegen, bis ihr groß seid, und ihr werdet euch bald an ihn gewöhnen. Und Kristian wird dafür sorgen, daß ihr eine Pflegemutter bekommt: er wird euch der Königin Margrethe von Dänemark zum persönlichen Geschenk machen. Damit wird er erreichen, daß ihr im Kopenhagener Zoo bleibt und nicht weiterverkauft werden könnt.

Ihr werdet also mit dem ersten Schiff dieses Sommers nach Kopenhagen reisen und dort im Zoo die Kinder und Erwachsenen mit euren drolligen Spielen und Späßen erfreuen. Dort werdet ihr auch noch andere Artgenossen aus Grönland treffen, mit ihnen könnt ihr raufen, spielen und Unfug treiben, soviel ihr wollt, und bald werdet ihr merken, daß die Menschen gar nicht so schlecht sind, wie ihr jetzt, in eurem ersten Schmerz, glaubt.

So, jetzt trollt euch aber, damit ich das leere Geschirr fortnehmen kann.

Faucht mich nicht so wild an! Eure Mutter hätte euch mit ihrer großen Pratze längst schon eins übers Ohr gehauen, wie es mich Kristian gelehrt hat.

Es sind zwei richtige Lausbuben – übermütig, frech und wild. Aber es ist mehr Ernst als Spaß. Oder können sie den Ernst vom Spiel nicht unterscheiden?

Während sich ein kleiner Eisbär von vorne anschleicht, beißt mich der andere von hinten in die Waden.

Schert euch zum Teufel! Ist das der Dank, daß ich euch das Futter bringe?

Da geht die Tür auf, und der Handelschef steht hinter mir. »Elsner, ich glaube, es ist Zeit, daß wir die beiden kleinen Biester in den Zwinger stecken, sonst demolieren sie uns noch die ganze Einrichtung. Und außerdem, wo nehmen wir das viele Leukoplast her?«

Am nächsten Tag konnten die beiden im halbverschneiten Zwinger an der Rückseite des Hauses zum Gaudium der Kinder und Erwachsenen ihren Unfug treiben. Sie konnten sich im Schnee wälzen und ihr Fell reinigen, nach Eisbärenart Höhlen graben und sich dabei den Schnee mit den Hinterpfoten gegenseitig ins Gesicht schleudern, sich anschleichen und anspringen, konnten raufen und spielen, wie es kleinen Eisbären nun einmal Freude macht.

Heute ist es soweit.

Auf dem zugefrorenen Polarmeer steht die DC 3, die mich wieder in die Heimat bringen wird. Um die Maschine herum ist ein Heerlager von Hundeschlitten. Alle waren gekommen, um beim Start des letzten Flugzeuges dieses Winters dabeizusein. Es sind ausschließlich die Männer. In kleinen Gruppen stehen sie zwischen den Schlitten herum, plaudern, lachen, rauchen. Was habe ich diesen Menschen alles zu danken!

Ohne ihre Freundschaft und ihr Vertrauen wäre mein Aufenthalt in der Siedlung eintönig und farblos gewesen. Sicherlich – ihre Zuneigung ist mir nicht in den Schoß gefallen. Ich habe sie mir erringen müssen. Draußen an der Eiskante, auf den Schlittenreisen und in den kleinen Fangsthütten; indem ich mit ihnen hungerte und fror, auf dem Bauch liegend über schwankende Eisflächen robbte und herzhaft zupackte, wenn es notwendig war.

Ich habe mir ihre Freundschaft auch dadurch errungen, daß ich so lebte wie sie, ohne Vorurteil und Scheu, ganz einfach wie einer der Ihrigen, mit all den kleinen Fehlern und menschlichen Schwächen.

Aber dieses Leben hat sich gelohnt!

Wieder einmal kommt mir zum Bewußtsein, daß es nicht die materiellen Güter sind, die das Glück bedeuten, sondern die starken Erlebnisse und Eindrücke, die man fähig ist zu speichern und als unveräußerliches Gut im Herzen trägt.

So verlasse ich Grönland reich beschenkt.

Ich gehe von einer Gruppe zur anderen, um mich zu verabschieden. Im Lärm der laufenden Motoren gehen die paar Brocken Eskimoisch unter, die ich gelernt habe. Doch wozu viele Worte? Diese Männer sind nicht gewohnt, viel zu reden. Wir drücken uns die Hände, klopfen uns auf die Schultern und boxen uns in freundschaftlicher Weise, so wie wir es auch bei den Schlittenreisen immer getan haben, um uns zu erwärmen.

Mit leichtem Gepäck, aber schweren Herzens klettere ich in die Maschine. Soll das freie, zwanglose Leben, sollen die Jagden an der Eiskante, die Schlittenreisen mit einemmal zu Ende sein? Soll mich bald wieder der Zwang der Zivilisation und die Hektik der Großstadt umgeben?

Während ich mich in der warmen Maschine auf einen gepolsterten Sitz niederlasse, kommt es mir wieder zum Bewußtsein, daß ich außer meinem Leben als grönländischer Eskimo auch noch ein anderes, bürgerliches Leben zu führen habe.

Man kann seinem Schicksal ab und zu ein Schnippchen schlagen – aber ihm nicht für immer entfliehen.

Ich bin hineingeboren in die Zivilisation und habe mein Leben dort zu Ende zu führen.

In wenigen Tagen schon wird Grönland der Erinnerung angehören, und ich werde mich wieder der Annehmlichkeiten der Zivilisation erfreuen.

Vielleicht ist es gerade das Wissen um den befristeten Aufenthalt hier oben, das einen alle Härten und Unbilden der winterlichen Arktis leichter ertragen läßt. Man weiß, daß die Brücken zur Zivilisation nicht abgebrochen sind. Und vielleicht ist das gut so.

In letzter Minute stürmt ein prächtiges Gespann mit schwarz-weiß gefleckten Hunden daher. Krab springt vom Schlitten und kommt zur offenen Kabinentür: »Koglbauer, ich soll Ihnen dieses Päckchen von den Schulkindern überbringen. Sie sprechen alle nur noch von Ihnen und Ihrem Skilauf. You know, you have been the first Austrian Ski-Instructor in Greenland!« Seither nehmen fünf kleine weiße Seehundzähne einen Ehrenplatz in meiner Grönlandsammlung ein.

Sie werden mich stets an eine glückliche Zeit erinnern. Und an die glücklichen Kinder von Scoresbysund, deren sorglose Heiterkeit mir bei unseren gemeinsamen Skifahrten soviel Freude gemacht hat.

DIE EIGENE FRAU ALS GASTGESCHENK

Wo immer in der Heimat von Grönland die Rede ist, tuschelt man wollüstig-wissend vom Gastgeschenk der eigenen Frau an den Fremdling, von Frauentausch in der Sippe und den geheimnisvollen »Lampenlöschspielen« (sprich Gruppensex) der Eskimos in der langen Polarnacht.

Wo immer ich auch hinkomme, werde ich gefragt:

»Wie ist das mit dem Gastgeschenk der Hausfrau an den fremden Besucher? Gibt es das heute noch? Haben Sie es auch erlebt, und wie war es?« Und dann erwartet man sich die Schilderung eines aufregenden, pikanten Abenteuers mit einer Eskimofrau.

Ich muß sie alle enttäuschen!

Die Zeit der »Lampenlöschspiele« und des Anbietens der eigenen Frau dem fremden Besucher gegenüber ist längst vorbei. Wenn sich diese Bräuche an der Ostküste Grönlands auch länger als sonstwo gehalten haben, wird einem dort mit der gleichen Gastfreundschaft wie einst die Frau heute Kaffee, Seehund- oder Walroßfleisch angeboten. (Ohne ein Werturteil abgeben zu wollen, war ich in den meisten Fällen froh, daß mir nur Kaffee und nicht die Frau angeboten wurde. Die Frauen mögen mir verzeihen!)

Übrigens – wer weiß schon, daß das Anbieten der eigenen Frau dem fremden Besucher gegenüber reine Höflichkeit war, entsprungen aus der Kenntnis der sexuellen Not, in der sich die Männer auf ihren langen Schlittenreisen oftmals befanden?

Es war aber auch die logische Konsequenz eines natürlichen biologischen Gesetzes, wonach jeder Mann ein Anrecht auf eine Frau und demgemäß jede Frau ein Recht auf einen Mann hatte.

Ähnlich war es mit Frauentausch. Wenn ein Mann, dessen Frau schwanger war, auf eine lange Schlittenreise ging, tauschte er seine Frau innerhalb der Sippe gegen eine andere, nicht schwangere aus. Diese hatte tagsüber die ihr zustehende Arbeit zu verrichten und ihm die Nächte auf der Fellpritsche zu verschönern.

Diese sexuellen Spiele und Gebräuche als Sittenverfall hinzustellen, hieße diesen Menschen unrecht tun. Alle Gruppenpaarungen und außerehelichen Beziehungen zwischen Bewohnern entfernt liegender Wohnplätze hatten durchaus biologische Funktionen zu erfüllen. Sie dienten der Blutauffrischung, waren somit vorbeugend gegen Inzucht, man erreichte damit eine ständige Schwangerschaft der Frau, was bei der hohen Kindersterblichkeit notwendig war, da die Kinder die einzige Altersversorgung der Eltern darstellten, und außerdem glaubt man heute, in diesen sexuellen Gebräuchen eines der Geheimnisse gefunden zu haben, mit denen man das Überleben jener kleinen Völkerschaften im höchsten Norden erklären kann. Wahrscheinlich waren es unter anderem diese sexuellen Feste, die den Menschen die seelische Kraft gaben, den ungeheuren psychischen Belastungen der monatelangen Dunkelheit der Polarnacht, der Einsamkeit und lebensbedrohenden Kälte zu trotzen.

Sex spielt auch im Leben der Grönländer unserer Tage eine gewichtige Rolle. War die sexuelle Potenz und Aktivität bei der hohen Kindersterblichkeit, den vielen tödlichen Jagdunfällen und harten Umweltbedingungen früherer Zeiten eine Notwendigkeit zum Überleben, führt sie heute zu einer erschreckenden Bevölkerungsexplosion. Wenn der Geburtenüberschuß weiterhin so anhält, kann man damit rechnen, daß sich die Bevölkerung Grönlands alle 15 bis 20 Jahre verdoppelt. Es ist aber nicht der Geburtenüberschuß allein, der ein ernstes Problem für Grönland darstellt, sondern auch die Tatsache, daß mehr als die Hälfte aller Kinder unehelich geboren werden.

Das zeigt die sorglose Promiskuität der Jugend.

Es ist durchaus nicht ungewöhnlich, daß junge Menschen während eines »Dansemikks«, einer abendlichen Tanzveranstaltung, mit immer anderen Partnern »in die Berge verschwinden« und sich in der hellen Sommernacht hinter den umliegenden Steinblöcken paaren. Spiegelt sich darin die Zügellosigkeit der Jugend, wirft es ein Licht auf die lockeren Sitten, die heute noch in Grönland herrschen? Oder haben sich nur unsere Moralbegriffe verschoben? Jedenfalls wird man durch diese sexuelle Vitalität und den leidenschaftlichen Wunsch jeder grönländischen Frau nach immer mehr Kindern sowie durch die Ablehnung aller empfängnisverhütenden Mittel und schon gar jeder Schwangerschaftsunterbrechung des Problems Nummer eins in Grönland, der Bevölkerungsexplosion, kaum Herr werden.

Man kennt keine Selbstdisziplin. Woher soll man sie auch haben, da man sich bisher nie einen Zwang auferlegen mußte? Erlaubt ist, was Spaß macht!

Der Arzt von Scoresbysund, Dr. Mortensen, erzählte mir von einem Mädchen, das bei ihm in der Minensiedlung Qutligssat an der Westküste wegen einer Gonorrhöe in Behandlung war.

Er verbot ihr jeden Geschlechtsverkehr und ließ sie laufen. Und sie ging schnurstracks zum Hafen, wo gerade ein fremdes Schiff lag, und stürzte sich in die Arme der Besatzung. Sicherlich nicht um Geld, sondern einfach aus Lust. Angeheizt wird dieses Lustgefühl noch durch Alkohol und Zigaretten. Und wenn die Mädchen dann veilchenblau und »high« sind, werden sie von Kajüte zu Kajüte weitergereicht. Vom Kapitän bis zum Maschinisten.

Ich erinnere mich mit Schrecken daran, wie ein Mädchen in Angmagssalik nach durchzechter Nacht als Alkoholleiche und totales Wrack vom Deck eines Frachters über die schwankende Schiffsleiter in ein Ruderboot transportiert wurde.

Plötzlich entglitt der schlaffe Körper den grölenden Männern und fiel wie ein Mehlsack ins Wasser.

Ich stand an der Reling. Mich packte Entsetzen.

Ich stürzte die Leiter hinab, um zu helfen. Es dauerte lange, bis wir das Mädchen geborgen hatten. Es wurde wie ein Seehund ins Boot gezerrt. Das Mädchen war bewußtlos; ob von Alkohol oder Wasser, das interessierte niemand. Dann wurde es an Land gebracht und vor einem Schuppen abgelegt. Ich glaube, das arme Ding hat den ganzen Vorfall gar nicht mitgekriegt.

Grotesk ist übrigens, daß grönländische Frauen, die mit Europäern ein Verhältnis oder gar Kinder haben, von ihren eigenen Männern nicht etwa verachtet, sondern eher bewundert und bevorzugt werden.

War eine Frau für einen Europäer gut genug, wird sie für die grönländischen Männer nur noch begehrenswerter.

Natürlich ist unter diesen Umständen den Geschlechtskrankheiten nur schwer beizukommen.

Allen voran der Gonorrhoe, die besonders an der Westküste durch den regen Schiffsverkehr sehr verbreitet ist. Wenn ein Matrose im Süden

Wegeners Grab auf dem Inlandeis

Prof. Wegener

Landung der Wegener-Expedition im Qamarujukfjord 1930

EISBÄR

Grönlands angesteckt wird, kann man mit Sicherheit damit rechnen, daß er bei der Fahrt nach Norden in jedem Hafen zum Schrecken der Ärzte und Gesundheitsbehörden dazu beiträgt, die Krankheit zu verbreiten.

Scoresbysund ist die einzige Siedlung Grönlands, wo es schon seit Jahren keinen Fall von Geschlechtskrankheit mehr gibt.

Natürlich kommt dem dortigen Arzt die geographische Lage der Siedlung sehr entgegen. Scoresbysund liegt auf 71 Grad nördlicher Breite an der Ostküste und ist die einsamste und am schwersten zugängliche Siedlung ganz Grönlands. Ein 200 bis 300 Kilometer breiter, geschlossener Eisgürtel liegt das ganze Jahr über vor der Küste.

Wehe dem Kapitän, der den Bug seines Schiffes in diese kompakte Eismasse zu treiben versucht! Er hat das Wagnis in den meisten Fällen mit dem Verlust seines Schiffes, oftmals sogar seines Lebens zu bezahlen. Es sind nur wenige Wochen im Jahr – etwa von Mitte Juli bis Ende August –, wo diese feste Eismasse sich in einen Gürtel treibender Schollen auflöst, der mit dem Ostgrönlandstrom die Küste entlang nach Süden driftet.

In diesen wenigen Wochen, diesem kurzen Sommer, wird Scoresbysund von zwei bis drei Schiffen angelaufen, und im Winter, wenn das Eis vor der Küste dick genug ist, von zwei Flugzeugen auf Skiern angeflogen – die übrige Zeit ist die Siedlung unzugänglich.

Das heißt also nicht, daß die Menschen in Scoresbysund enthaltsamer wären als anderswo in Grönland. Es läßt sich hier nur durch den geringen Kontakt mit der Außenwelt alles leichter unter Kontrolle halten.

Die »Hansa« wurde 1869 vom Eis zerdrückt und sank

Bruchlandung eines Propeller-Schlittens der Wegener-Expedition

Kapitän Bjarnason, der mich vor zwei Monaten von Reykjavik nach Scoresbysund geflogen hat, freut sich offensichtlich, mich gesund und heil wieder an Bord nehmen zu können.

Natürlich will er wissen, wie es mir ergangen ist, ob ich sehr unter der Kälte gelitten habe und oft Hundeschlitten gefahren bin.

Fragen über Fragen.

»I am sorry for you« – »es tut mir leid für Sie,« sagt er bedauernd, »daß wir nicht gleich nach Reykjavik zurückfliegen, aber ich muß noch zwei Wetterstationen an der Ostküste mit Medikamenten, Post und Lebensmitteln versorgen.«

»Oh, don't matter«, sage ich vergnügt, »ich bin dankbar für jeden Tag, den ich länger in Grönland sein kann.« Er lächelt und schüttelt den Kopf. Eine solche Antwort hat er nach meinem Winteraufenthalt anscheinend nicht erwartet.

Wir fliegen also vorerst anstatt nach Süden geradewegs 250 Kilometer nach Norden zum Flughafen Mesters Vig, um dort günstige Wetterbedingungen für den Versorgungsflug abzuwarten. Der Bordmechaniker sitzt hinten im Flugzeugrumpf und döst vor sich hin. Auf ihn macht der Flug über das winterliche Grönland keinerlei Eindruck. Ich habe mich neben dem Flugzeugführer auf dem Sitz des Co-Piloten niedergelassen und genieße durch die Plexiglaskuppel eine unbegrenzte Sicht über das Land.

Wenn ich seitlich zurückschaue, sehe ich auf dem Scoresbysund die Hundegespanne, klein wie Ameisen, eines hinter dem anderen heimfahren. Für meine grönländischen Freunde da unten geht das Leben in gewohnter Weise weiter.

Nachdem wir den Scoresbysund hinter uns gelassen haben, zieht Bjarnason die Maschine auf 1000 Meter hoch, und in dieser Höhe fliegen wir über das verschneite, tundraartige Jameson-Land. Hier unten, wo im Sommer auf den saftigen Weiden unzählige Moschusochsen grasen, sieht man jetzt nur gelegentlich kleine Herden von 5 bis 10 Stück.

Wir mögen kaum eine Viertelstunde in der Luft sein, da hebt sich

Gipfel um Gipfel über den nördlichen Horizont. Je weiter wir nach Norden kommen, um so gewaltiger und wilder, und ehe ich es richtig erfasse, stehen die Stauningsalpen wie gigantische, zu Fels und Eis erstarrte Brandungswellen aus der Urzeit vor uns. Kühn geschwungene Eisgrate, gotisch aufstrebende Felspfeiler, Nadel neben Nadel, Kuppe neben Kuppe, ein unüberschaubares Gipfellabyrinth. Ich versuche mich zu orientieren und schaue nach bekannten Bergformen aus.

Ist diese Eispyramide dort drüben nicht die »Bavariaspitze«, über deren rechten Firngrat wir wie über eine Himmelsleiter emporgestiegen waren? Geradewegs in den Himmel, hätte man meinen können, da sich ihre Spitze in einer Wolke verlor. Und die sich dann auf dem Gipfel über uns entlud.

Und neben ihr, ist das nicht das dreigipfelige »Diadem«, das mich immer an den Piz Palü erinnerte?

Beim Anblick dieser Berge stehen die Ereignisse jenes Sommers vor zwölf Jahren so klar und deutlich vor mir, als ob es erst vor wenigen Tagen gewesen wäre. Ich erinnere mich noch der Begeisterung, die uns beim ersten Anblick dieser Bergwelt erfaßte, und spüre noch stark die tiefe Ergriffenheit, die mich überkam, als ich im goldenen Schein der Mitternachtssonne auf meinem ersten Grönlandgipfel stand.

Es war ein herrlich sorgloser Bergsommer damals, inmitten der zauberhaften Arktis, ohne Funkgerät und jede andere Verbindung mit der Außenwelt. Wir waren eine verschworene Gemeinschaft und lebten nur auf uns selbst gestellt. Ja, wir hatten kaum eine Vorstellung davon, wie wir nach Beendigung unserer Expedition die Außenküste erreichen würden, wo wir im Herbst ein Schiff für die Heimreise zu finden hofften.

Es war eine Einsamkeit und Ruhe um uns, die nur unterbrochen wurde von dem gelegentlichen Kalben des nahen Gletschers oder dem Ruf der Wildgänse, die über unsere Zelte hinwegflogen.

Wir standen in jenem Sommer auf 19 Gipfeln, die noch keines Menschen Fuß betreten hatte. Hier unten, inmitten dieser Berge und angesichts der smaragdgrünen Fjorde mit den blendendweißen Eisbergen, war es, wo meine Liebe zu Grönland so mächtig wurde, daß ich diesem Land bis heute die Treue gehalten habe. Und diese Liebe wurde mit unvergeßlichen Erlebnissen reichlich belohnt. Keinen Tag, keine Stunde möchte ich von meinen fünf Grönlandexpeditionen missen.

Kapitän Bjarnason hat die Maschine schon längst auf 3000 Meter angehoben und fliegt jetzt knapp über den Gipfeln eine große Schleife, um mir einen noch besseren Einblick zu gewähren.

»Look down, the Alpefjord!« rufe ich voll Begeisterung und zeige hinunter auf einen schmalen, von gewaltigen Steilwänden eingefaßten Fjord. Im hintersten Winkel dieses Fjordes, der aus dieser Höhe einem größeren Swimming-pool gleicht, hat vor zwölf Jahren unsere Catalina-Maschine nach einem atemberaubenden Sturzflug aus 3000 Meter Höhe gewassert.

Kapitän Bjarnason freut sich zwar über meine Begeisterung, aber er kann nicht begreifen, daß man freiwillig auf diesen steilen Bergen herumklettern kann. Nach dieser Wiedersehens- und zugleich Abschiedsrunde über den Gipfeln in der Stauningsalpen fliegen wir den Alpefjord hinaus und landen bald darauf auf dem Flughafen Mesters Vig.

Man mag im ersten Moment überrascht sein, hier in der menschenleeren Arktis einen so großen und gepflegten Flugplatz anzutreffen.

Wozu dient er noch, wo die Bleimine Mesters Vig schon seit Jahren erschöpft und stillgelegt ist?

Nun, der dänische Staat und die SAS lassen sich die Sicherheit ihrer Passagiere auf den Polarrouten etwas kosten. Der riesige Flugplatz dient unter anderem dazu, etwaigen in Not geratenen Düsenmaschinen auf halbem Weg über den Pol eine Landemöglichkeit zu bieten. Außerdem wird der Flugplatz auch noch von den Prospektoren der Nordischen Minengesellschaft und zur Versorgung der Wetterstationen benützt.

Ich bin kaum ausgestiegen, da werde ich mit einem echt salzburgischen »Servas, Hias, wie geht's?« begrüßt.

Erich Hintsteiner, alter Freund und Grönlandexperte, streckt mir die Hand entgegen. Mit ihm und den Freunden aus Eisenerz in der Steiermark, die damals in der Bleimine Mesters Vig beschäftigt waren, hatten wir bereits 1957 in einer alten Baracke auf diesem Flugplatz einen gemütlichen »Steirischen Heimatabend« gefeiert.

Jetzt ist die Mine geschlossen, die Bergleute aus Eisenerz sind wieder in ihrer Heimat. Nur Erich Hintsteiner ist geblieben. Als Bergbau-Ingenieur, Geologe, Mineraloge und Absolvent der Montanistischen Hochschule Leoben ist er heute Chef der Prospektierungsabteilung der Nordischen Minengesellschaft mit dem Sitz in Kopenhagen.

Erich hat sich Grönland verschrieben.

Sein Ziel und seine Aufgabe sind, Ostgrönland mineralogisch zu erschließen und auf diese Weise dem Land größeren Wohlstand zu bringen.

Erich habe ich immer dann getroffen, wenn ich es am wenigsten erwartet hatte. Das letzte Mal vor vier Wochen in Scoresbysund. Ich fuhr damals mit Dines Sanimuinak von der Jagd an der Eiskante heimwärts, als uns auf dem Polarmeer zwei Hundeschlitten begegneten. Es war schon dunkel. Auf dem ersten Schlitten saß in gewohnter Weise ein Grönländer, auf dem zweiten aber stand ein Mann in Pelzstiefeln, langem Parker und Pelzkapuze. Die ganze Erscheinung hatte etwas von dem alten Polarfahrergeist an sich und machte großen Eindruck auf mich.

Während wir aneinander vorbeifuhren, hörte ich nur das bekannte: »Servas, Hias«! Ich zuckte zusammen. Das konnte nur Erich gewesen sein!

Als wir uns einige Tage später wieder in der Siedlung Scoresbysund trafen und ich ihn fragte, woran er mich denn damals in der Dunkelheit erkannt habe, meinte er trocken: »Welcher Grönländer hat denn schon einen roten Daunenanzug?«

Erich erzählte mir auch, daß diese nächtliche Schlittenreise um ein Haar schiefgegangen wäre: »Johann und ich fuhren nach Kap Brewster, um Seehunde zu jagen. Gegen Mitternacht wurden wir müde und unachtsam – und da geschah es! Ich hörte plötzlich einen Knall, das Splittern von Eis und sah in der Dunkelheit Johanns Schlitten vor mir in den Fluten versinken. Die Hunde aber hatten im nächsten Moment wieder festes Eis erreicht und zogen mit letztem Einsatz den Schlitten aus dem Wasser. Glücklicherweise war Johann auf dem Schlitten sitzen geblieben, obgleich ihm das Wasser schon bis zur Brust reichte. Um nicht zu erfrieren, mußte der Arme mit dem Eispanzer noch einige Stunden bis Kap Brewster neben dem Schlitten herlaufen.«

Erich hatte damals, vor vier Wochen, mit einem großen Raupenfahrzeug von Mesters Vig bis Scoresbysund Treibstoff- und Proviantdepots für die sommerlichen Prospektierungsarbeiten angelegt und wollte bei dieser Gelegenheit einige Tage auf Kap Brewster verbringen.

Inzwischen hat Kapitän Bjarnason die DC 3 an den Rand der Landepiste gerollt, wo sie der Bordmechaniker für die Nacht verankert und auftankt.

Erich hat sich meinen Seesack auf die Schultern geladen, ich nehme den Rucksack, und so schlendern wir von der Rollbahn zu den Flughafenbaracken hinüber.

»Hias, du kannst in den nächsten Tagen in meinem Zimmer wohnen, ich habe genügend Platz.«

»Oh, fein, du weißt, es kann einige Tage dauern, bis ich von hier wegkomme, da die DC 3 noch nach Daneborg und Danmarkshaven fliegt.«

»Ich weiß«, sagt Erich, »möchtest du nicht mitfliegen?«

»Zu den Wetterstationen?« frage ich überrascht, »mit Begeisterung!«

»Ich werde mit Kaysfeld, dem dänischen Verbindungsoffizier des Grönlandhandels, sprechen, vielleicht nimmt er dich mit.«

»Ein Flug nach Danmarkshaven ist der einzige Wunsch, den ich in Grönland noch habe«, sage ich und begeistere mich so an dem Gedanken, als ob der Flug schon perfekt für mich wäre.

»Wir werden sehen, vielleicht klappt es«, sagt Erich, während wir eine der einfachen, aber sauberen Baracken betreten.

Ich lege das Gepäck ab und gehe gleich wieder hinaus auf die Rollbahn, um mich umzuschauen. Viel hat sich seit meinem letzten Aufenthalt nicht geändert in Mesters Vig, nur die Landebahnen sind, wie mir scheint, länger geworden. Es ist doch ein eigenartiges Gefühl, nach zwölf Jahren wieder dort zu stehen, wo ich meine erste Begegnung mit Grönland gehabt habe. Hier in Mesters Vig hatte damals ein Märchen begonnen, das gar nicht in unser nüchternes Zeitalter hineinpaßte: Wir waren einen Sommer lang in den Stauningsalpen zum Bergsteigen und wußten nicht, wie wir im Herbst nach Mesters Vig kommen sollten. Am besten natürlich auf dem Wasserweg. Aber acht Mann und 500 Kilo Ausrüstung mit zwei schmalen, zerbrechlichen Faltbooten durch drei Fjorde zu transportieren war eine unlösbare Aufgabe. Also schickten wir Hansl Gsellmann mit seinem Faltboot nach Mesters Vig, um ein großes Ruder- oder Motorboot für uns aufzutreiben.

In der ersten Baracke, in der er vorsprach, saß ein Mann mit einer Zeitung in der Hand.

Hansl trug ihm sein Anliegen vor.

Der Mann blickte auf: »Sie waren in den Staunings? Dann sind Sie Hans Gsellmann?«

»Ja, der bin ich. Aber woher kennen Sie mich?«

»Sehen Sie selbst«, mit diesen Worten reichte er unserem Hansl die Zeitung, in der unter einem großen Foto zu lesen stand: »Österreichische Bergsteigerexpedition unter Führung Hans Gsellmanns in die Stauningsalpen abgereist.« Das Foto wurde in der Villa des österreichischen Botschafters in Kopenhagen, Dr. Schober, anläßlich eines für uns gegebenen Presseempfanges aufgenommen.

Alles Weitere ergab sich von selbst.

Der Mann war der große dänische Reeder Knud Lauritzen, der es sich nicht nehmen ließ, uns mit seiner Privatjacht »VIPPA-DAN« persönlich aus dem Alpefjord zu holen.

Heute sitzen wir noch lange in der gemütlichen Atmosphäre dieses arktischen Flughafens beisammen, leeren eine Flasche Whisky nach der anderen und plaudern über Grönland. Es ist ein lustiges Sprachengewirr: der Flugplatzleiter und der Verbindungsoffizier sprechen dänisch, die Flugzeugbesatzung isländisch, Erich Hintsteiner und ich deutsch, und alle miteinander sprechen wir englisch.

Alte Erinnerungen werden aufgefrischt, es wird von gemeinsamen Bekannten und Freunden gesprochen.

»Was ist eigentlich aus dem ›Schreckenspiloten‹ von Mesters Vig geworden?« frage ich die Runde.

»Den hat es erwischt. Der lebt nicht mehr«, sagt Hansen, der Flugplatzleiter, mit leiser Wehmut in der Stimme. »Einmal mußte es ja kommen, man kann sein Schicksal nicht dauernd herausfordern«, meint Erich, der viel mit ihm geflogen war. Ja, auch ich glaube, daß der ›Schrekkenspilot‹, wie er an der ganzen Ostküste genannt wurde, ständig mit seinem Leben gespielt hat. Jedes Jahr flog er mit seiner kleinen, zweimotorigen Kiste von Dänemark nach Grönland und im Herbst wieder zurück. Da der Treibstoffvorrat in den Tragflächen für den langen Flug über die Nordsee nicht ausreichte, stellte er Benzinfässer in die Maschine.

Aus diesen Fässern pumpte sein Mechaniker mit einer Handpumpe das Benzin während des Fluges in die Tragflächen der Maschine.

»Mein Mechaniker pumpt, und ich fliege. Wenn er aussetzt, saufen wir beide ab«, hatte er damals lakonisch gesagt, als ich mit ihm in seiner Maschine saß und er mir von seinem Fliegerleben erzählte.

Das war aber nur eines seiner Husarenstücke. Und vielleicht nicht einmal das aufregendste.

Als wir gegen Mitternacht in fröhlicher Stimmung die Sitzung abbrechen und uns verabschieden, ist es beschlossene Sache: ich gehöre zur Besatzung der DC 3 nach Danmarkshaven.

»Ich brauche ohnehin jemanden, der mir beim Entladen der Maschine hilft, damit wir keine Zeit verlieren«, sagt Kaysfeld, »da sind Sie gerade der richtige Mann!«

»Halten Sie sich bereit – wir fliegen, sobald es das Wetter erlaubt«, sagt Bjarnason beim Abschied zu mir.

Am nächsten Morgen beim Frühstück ist meine erste Frage an Bjarnason: »What about the flight? Ist das Wetter gut genug?«

»No, I am sorry. Heute ist nichts zu machen. Danmarkshaven meldet Nebel und Schneefall«, sagt er.

»Don't matter, macht nichts, so bin ich noch einen Tag länger in Grönland.« Dann wende ich mich an Hintsteiner: »Und was machst du, Erich?«

»Ich muß zur Mine hinauf, kommst mit?«

»Ja natürlich, wann geht's los?«

»Gleich nach dem Frühstück. Komm auf die Rollbahn, drüben steht das Raupenfahrzeug. Ich habe noch einiges vorzubereiten.«

Meine Erinnerung an die Minensiedlung Mesters Vig, die zehn Kilometer weit oben in den Bergen liegt, ist sehr verschwommen. Ich war vor 12 Jahren einmal kurz mit einem ausgeliehenen Jeep oben und weiß nur, daß das Barackendorf mit all den schweren Baumaschinen, vielen technischen Geräten und Stapeln von Werkzeugen, Wellblechen und Bohlen keinen guten Eindruck auf mich machte.

Die ganze Anlage mit dem geschäftigen Treiben, dem Motorenlärm der vielen Lkws und der Preßlufthämmer war für mich nach der Einsamkeit eines ganzen Sommers in den Stauningsalpen wie die Verwirklichung eines utopischen Romans von Jules Verne.

Wohl wußte ich, daß hinter dem nächsten Bergrücken die Natur wieder in ihrer ganzen Ursprünglichkeit dalag – friedlich und unberührt wie am ersten Tag der Schöpfung. Trotzdem – das Barackendorf mit all dem Abfall, den alten Gummistiefeln, verbeulten Eimern, kaputten Autoreifen und dem anderen Zivilisationsgerümpel war nun einmal nicht wegzuleugnen.

Es war ein Fremdkörper in der arktischen Landschaft.

Ich bin daher neugierig, wie sich mir die Minensiedlung heute zeigen wird. Ich sitze vorne im warmen Führerhaus des schweren, geländegängigen Raupenfahrzeuges, das alle Hindernisse wie ein Panzer nimmt. Teilweise ist das Profil der Straße im Schnee noch erkennbar, oft aber fährt Erich ohne Trasse einfach der Nase nach. Allmählich kommt mir das Gelände wieder bekannt vor. Dort vorne ist die Siedlung und rechts oberhalb am Berghangen die Einfahrt zur Bleimine, die unter Tag lag. Jetzt, wo wir uns den Hütten nähern und das Dröhnen unseres Motors von den leeren Gebäuden widerhallt, erinnere ich mich, daß die Siedlung schon damals, als sie noch mit Leben erfüllt war, einen schwermütigen Eindruck auf mich machte.

Doch um wieviel trostloser, ja geradezu bedrückend ist die von jedem Lebewesen verlassene Siedlung heute! Die einzige Straße verweht, die Türen verriegelt, die Fenster vernagelt, die Schuppen eingeschneit, alles öde und leer, dem Verfall preisgegeben. Ein verlassenes Goldgräberdorf in Alaska könnte nicht trostloser sein!

Eine einsame Fuchsspur verliert sich irgendwo zwischen den Hütten. Für dich, du schlaues Füchslein, wird hier nicht viel zu holen sein. Waren es in meiner Erinnerung immer noch die Menschen, welche die Maschinen und Geräte beherrschten, so macht die aufgelassene, menschenleere Siedlung heute den Eindruck, als ob die Maschinen die Herrschaft über alles Lebende angetreten hätten. Als wäre es von der seelenlosen Materie vernichtet worden.

Maschinen, Geräte, Werkzeuge: auch ihre Stunde hat geschlagen! Ihr Abtransport lohnt sich nicht, also mögen sie verrosten und verderben!

Ein Blechfriedhof mitten in der Arktis.

Ich bin froh, aus dieser seelenlosen Geisterstadt bald wieder wegzukommen. Während der Heimfahrt denke ich an das vielfältige Leben in Scoresbysund, das lustige Kinderlachen, das Geschnatter der Frauen und das klagende Geheul der Polarhunde, von dem die Siedlung Tag und Nacht erfüllt ist.

Als wir in der Dämmerung am Rand des Flugplatzes heimfahren, höre ich, daß die Motoren von unserer DC 3 gestartet werden. Im Näherkommen sehe ich Bjarnason und Hansen im Gespräch vor der Maschine und den Mechaniker im Cockpit. Erich und ich stellen uns dazu, und meine erste Frage ist, ob Bjarnason nach Danmarkshaven fliegt.

»Nein, wir fliegen hinüber zur Ella-Insel, um zwei Kameramänner des dänischen Fernsehens abzuholen. Wollen Sie mitkommen?«

Und ob ich will!

Bei diesem trüben Wetter und der hereinbrechenden Nacht verspricht der Flug auf jeden Fall abenteuerlich zu werden.

Ich glaube, mit Bjarnason würde ich sogar zum Mond fliegen. Ich habe unbegrenztes Vertrauen zu seiner Fliegerei.

Während wir plaudern und der Mechaniker die Motoren warmlaufen läßt, fahren zwei Jeeps in entgegengesetzter Richtung um das Rollfeld und entzünden von Hand die offenen Öllampen, die als Positionslichter den Flugplatz säumen. Lustig züngeln die Flammen im Wind, und ihr warmer Schein gibt dem Rollfeld etwas Gespenstisch-Anheimelndes.

Beim Start der Maschine huschen die Flammen am Fenster vorbei – werden zu einem leuchtenden Strich – und bleiben im nächsten Moment hinter der Maschine zurück.

Rechts drüben sieht man in 20 Kilometer Entfernung noch die Umrisse der Traill-Insel aus der Dämmerung ragen, und zu unserer Linken öffnet sich der Segelsällskapets-Fjord. Nachdem wir ihn überflogen haben, begleitet uns wie eine dunkle Mauer die Steilküste des Lyells-Landes. Wir fliegen in halber Höhe dieser Wand entlang. Bald danach zweigen wir nordwestlich in den schmalen Narhvalsund ab. Irgendwo hier unten in dem engen Fjord müßten die beiden Hundeschlitten auf uns warten.

Hansen und ich stehen vorne in der Führerkanzel hinter Bjarnason und dem Mechaniker und starren angestrengt nach unten, um in der Dunkelheit ein Lebenszeichen zu entdecken. Doch so sehr wir uns auch bemühen, es ist nichts zu erkennen. Dichter Bodennebel verhüllt den Grund der Schlucht. Sollten wir nicht doch lieber abdrehen und warten, bis es hell wird?

Da flammt ein Feuerschein durch den Nebel! Sie haben unser Motorengeräusch gehört und geben ein Lichtsignal. Also warten sie auf uns und wären wohl sehr enttäuscht, wenn wir nicht landen würden.

Bjarnason drosselt die Motoren und fliegt in geringer Höhe über den Feuerschein hinweg, aus dem rote Nebelfetzen in den nächtlichen Himmel lodern.

Er fliegt auf den Fjord hinaus.

Was wird er tun? Wird er landen? Gespannte Stille herrscht in der Führerkanzel. Niemand spricht ein Wort.

Dann, nach einiger Zeit, sagt Bjarnason: »Take a seat, please, ich werde die Landung versuchen.«

Hansen und ich gehen nach hinten in den Rumpf der Maschine und schnallen uns an.

Bjarnason stellt die Maschine auf die linke Tragfläche und fliegt den Fjord zurück. Ich versuche in Hansens Gesicht zu lesen, was er als alter Hase von einer Landung hält. Doch er wirkt ruhig und gelassen.

Ich habe das Bedürfnis, etwas zu sagen, um mich selbst zu beruhigen: »Wenn uns nur kein Eisberg in die Quere kommt, mit dem Nebel und der Dunkelheit wird Bjarnason sicher fertig werden, meinen Sie nicht auch?«

»Die Männer der Schlittenpatrouille haben bestimmt einen sicheren Landeplatz ausgesucht«, beruhigt mich Hansen. Im nächsten Moment wird es finster um die Maschine, ein paar harte Stöße zeugen von Eisblöcken im Fjord, und dann hänge ich wie ein Mehlsack im Sicherheitsgurt.

Hansen öffnet die Tür, wir springen hinaus und warten vor der Maschine. Kurze Zeit später kommen aus dem Nebel zwei Hundegespanne angestürmt. Herzliche Begrüßung, Händeschütteln, zwanzig Hunde umringen uns, springen freudig an uns hoch und werfen uns mit ihrem Gewicht fast zu Boden.

Es sind prächtige Tiere; wohlgenährt und gut gepflegt, der Stolz der Hundeführer.

Die dänische Schlittenpatrouille kontrolliert ständig die Nordostküste Grönlands, um damit die Hoheitsrechte Dänemarks auch über diese sonst so verlassene Küste zu dokumentieren.

Diese abenteuerlichen Fahrten hatten die Kameramänner im Film festgehalten. Sie waren wochenlang mit dem Hundeschlitten unterwegs gewesen.

Bjarnason drängt zum Start.

Rasch werden die Apparate, Stative und Blechkisten verladen, ein letzter Händedruck den Männern der Schlittenpatrouille, dann heulen die Motoren wieder auf. Der von den Propellern aufgepeitschte Schnee hüllt Menschen und Tiere in eine Staublawine, so daß die Männer sich abwenden und die Hände schützend vor das Gesicht halten.

Die beiden Dänen sind glücklich, nach Mesters Vig geflogen zu werden, da sie, wie sie sagen, »die Schnauze voll haben vom Hundeschlittenreisen«.

Jetzt, wo wir wieder in der Luft sind und den schmalen Narhvalsund hinter uns haben, steigt die Stimmung in der Maschine.

Hansen, der sich bis jetzt mit den beiden Dänen unterhalten hat, geht zu Bjarnason ins Cockpit, zieht eine Flasche Whisky aus seiner Parka und sagt anerkennend: »Bjarnason, jetzt trink ich einen Whisky auf deine Fliegerei, aber so, wie noch keiner in dieser fliegenden Kiste getrunken wurde – nämlich im Kopfstand!«

Wir alle schauen recht ungläubig drein, und ich halte den sonst recht sympathischen Hansen mit einemmal für einen Aufschneider und Angeber. Er aber legt seine schwere Parka ab, stellt die Whiskyflasche auf den Boden und macht wahr, was er so lautstark angekündigt hat.

Applaus und Bravorufe quittieren seine artistische Leistung. Den verbliebenen Rest trinken wir übrigen. Aber nicht im Kopfstand.

Mittlerweile sind wir über dem Flugplatz von Mesters Vig angekommen. Bjarnason fliegt das Rollfeld hart am Rand an, um sich an den Ölfackeln zu orientieren, die wie ein glühender Strich an den Fenstern vorbeihuschen und im Auslauf wieder zu einzelnen Punkten werden.

Ein Traum wird wahr!

Ich fliege mit der DC 3 über Grönlands Ostküste gegen Norden. Es ist ein Flug über einen schmalen, zerrissenen Küstenstreifen mit Inseln und Fjorden, Bergen und Landzungen.

Ein Flug zwischen der unbegrenzten Weite des zugefrorenen Polarmeeres im Osten und der weißen Unendlichkeit des Inlandeises im Westen.

Wir fliegen über ein Gebiet, das im Sommer mit seinen blauen Gewässern, der lieblichen Vegetation und dem reichen Vogelleben liebenswürdig und einladend, jetzt im Winter jedoch abweisend und lebensfeindlich ist.

Diese weiße Trostlosigkeit wird wohl kaum von einem anderen Gebiet unseres Planeten übertroffen.

Welch furchtbare Tragödien haben sich an dieser Küste schon abgespielt!

Wenn das Packeis die Schiffe der Walfänger und Polarforscher wie Nußschalen knackte und die Männer auf Eisschollen flüchten mußten. Wenn durch weitere Pressungen die Schollen immer kleiner wurden und niemand wußte, welchem Schicksal sie entgegentrieben. Monatelang waren die Schiffbrüchigen der Verzweiflung und Hoffnungslosigkeit ausgeliefert, besonders, wenn sie den erbarmungslosen Polarwinter auf sich zukommen sahen.

Kann es wundernehmen, wenn manch einer auf diesem Leidensweg wahnsinnig wurde?

Die Chronik berichtet, daß bereits 1769 sieben hamburgische und englische Schiffe vor der Shannon-Insel vom Eis eingeschlossen und erdrückt wurden.

Die Besatzungen gingen größtenteils zugrunde.

Schon ein Jahr später wurden etwa 50 holländische und hamburgische Walfangschiffe bei der Gael-Hamkesbay vom Eis zermalmt. Nur wenige Mitglieder der Besatzungen vermochten sich zu retten. Sie trieben fünf Monate lang auf einer Eisscholle um die Südspitze Grönlands und an der Westküste wieder nach Norden bis Holsteinsborg. Im selben Jahr wurde auch das englische Schiff »Guillaume« vom gleichen Schicksal getroffen. Auch seine Mannschaft trieb auf einer Eisscholle nach Süden, wurde von

Eskimos aufgenommen und erreichte im nächsten Jahr Frederikshaab an der Westküste.

Man könnte diese traurige Bilanz bis in unsere Tage fortsetzen.

Auch die Zweite Deutsche Nordpolexpedition 1869 unter Kapitän Koldewey mußte einen schweren Schlag hinnehmen. Ihr Versorgungsschiff, die »HANSA«, wurde in der Nacht vom 21. auf den 22. Oktober 1869 vor der Liverpoolküste vom Eis zermahlen und sank. Man hatte die Katastrophe kommen sehen und schon vorher Kohlen und Vorräte auf eine große Eisscholle geschafft. Mit dieser Scholle trieben die Schiffbrüchigen den ganzen Winter 1869–1870 die Küste entlang nach Süden, 199 schreckliche Tage lang. Durch ständig neue Pressungen wurde die Eisscholle immer kleiner, Vorräte gingen verloren, bis die Schiffbrüchigen nur noch das Allernotwendigste hatten. Sechs Mann konnten in einem kleinen Kohlenhaus schlafen, die übrigen acht in den zeltüberspannten Booten, in denen sie tagelang im Schneesturm ausharrten, um sie nicht zu verlieren. Denn von den Booten hing ihr weiteres Schicksal ab.

Unter dem dauernden Druck der Gefahr und der immer trostloser werdenden Lage verlor ein Mann die Nerven und wurde wahnsinnig.

Endlich am 7. Mai gerieten die Schiffbrüchigen in eisfreies Wasser, fuhren die Küste entlang nach Süden und erreichten am 13. Juni 1870 die herrnhutische Missionsstation Friedrichsthal. Julius Payer, der österreichische Teilnehmer an der Expedition, der auf der »GERMANIA«, dem zweiten Schiff, war, schreibt über seine Kameraden auf der »HANSA«: »Ich kenne kaum ein Beispiel in der arktischen Geschichte, welches so sehr die Bewunderung heldenmütiger Ausdauer verdient wie das Benehmen der Hansamänner. – – – Der deutsche Seemannsstand kann mit Stolz auf Kapitän Hegemann blicken, welcher die Disziplin unter seinen Leuten in Fällen zu erhalten wußte, wo Not und Verzweiflung alle Bande der Ordnung zu zerreißen drohten.«

Wie anders ist es heute!

Ich sitze mit der Spezialkarte in der Hand neben Bjarnason in der Führerkanzel. Wir fliegen auf Sicht und orientieren uns ausschließlich nach der Küstenlinie. Die Traill-Insel und die Geografical-Society-Insel liegen hinter uns, jetzt öffnet sich nach Westen gegen das Inlandeis der Kaiser-Franz-Josef-Fjord und die vorspringende Landzunge da vorne müßte Kap

Broer-Ruys sein. Ich frage Bjarnason. Er nickt mit dem Kopf: »Thats right, Kap Broer-Ruys!«

Es ist noch gar nicht so lange her, zwölf Jahre erst, da hat sich hier unten ein ähnliches Schicksal abgespielt wie die vorhin geschilderten.

Der norwegische Robbenfänger »Polarbjörn« wurde 1957 vom Eis eingeschlossen und wie eine Zündholzschachtel zerdrückt. Die 23 Mann der Besatzung flüchteten auf eine Eisscholle und bangten um ihr Leben.

Bis hierher waren die äußeren Umstände die gleichen wie bei den früheren Katastrophen.

Doch in den letzten Jahrzehnten haben sich die technischen Möglichkeiten grundlegend geändert.

Der Funker hämmerte auf die Tasten, seine SOS-Rufe wurden aufgefangen und lösten in zwei Kontinenten eine Kettenreaktion aus. Eine Skymaster-Maschine der amerikanischen Luftwaffe, die sich zur Zeit der Katastrophe über dem äußersten Süden der USA befand, bekam Funkbefehl, den US-Stützpunkt Thule im äußersten Norden Grönlands anzufliegen. Dort wurde ein Hubschrauber zugeladen, und mit diesem an Bord flog die Skymaster quer über das Inlandeis nach Mesters Vig. Zur gleichen Zeit brachte eine andere Maschine vom US-Stützpunkt Keflavik auf Island zusätzlichen Treibstoff für den Hubschrauber, der sofort zu seinem ersten Flug startete, um die Schiffbrüchigen im Packeis vor Kap Broer-Ruys zu suchen.

Die Aktion war ein voller Erfolg!

Kaum 24 Stunden nachdem die »Polarbjörn« vor den Augen ihrer Besatzung in den Fluten des Polarmeeres versunken war, saßen alle 23 Mann wohlbehalten in der Flughafenbaracke von Mesters Vig.

Diese Rettungsaktion, die sich über eine Anflugstrecke von über 7000 Kilometer vollzog und mit militärischer Präzision ausgeführt wurde, war ein Triumph menschlicher Einsatzbereitschaft und moderner Technik.

Trotzdem machten die amerikanischen Flieger keinerlei Aufhebens davon. Als wir zusammen am Flughafen Mesters Vig Kaffee tranken und ihnen unsere Bewunderung ausdrückten, sagten sie bloß: »Dont mention, it was just a routine flight!« – »Nicht der Rede wert, es war nur ein Routineflug!«

Wir überfliegen jetzt in geringer Höhe Kap Broer-Ruys. Ich blicke voll Interesse hinunter auf die 1000 Meter aus dem Meer aufragende Berggruppe, die 1870 von Julius Payer erstmals erstiegen wurde und von deren Gipfel er den Kaiser-Franz-Josef-Fjord entdeckte. Der Anblick begeisterte ihn.

Ich gebe zu, im Sommer mag der weitverzweigte, sich bis zum Inlandeis hinziehende Fjord imposanter wirken als jetzt. Wenn sich die Gletscher in breiter Front in die Fjorde ergießen, in den dunklen Wassern die hellen Eisberge schwimmen und die Täler mit ihrer Vegetation einen schärferen Kontrast zum ewigen Eis der Berge bilden, ist das sicherlich ein schöneres Bild als heute, wo nur eine einzige Farbe die Landschaft beherrscht: Weiß! Vom Polarmeer bis zum Inlandeis, unterbrochen nur von den steilen Granitwänden und den vom Sturm blankgefegten Graten und Bergkämmen.

Im Sommer ist die Küste bevölkert von Millionen Vögeln, unzähligen Moschus und anderen Polartieren, heute liegt sie erstarrt unter der weißen Decke des Schnees.

Nichts Lebendes zeigt sich.

Öfter als sonst horche ich bei diesem Flug auf das Donnern der Motoren, schaue ich nach dem Wetter aus. Eine Notlandung in dieser weißen Wüste? Ich glaube, es gibt Erfreulicheres im Leben!

Ein kurzer Flug noch über die Gael-Hamkes-Bucht, dann mache ich mich für die Zwischenlandung in Daneborg fertig, der dänischen Wetterstation auf dem Wollaston-Foreland. Ich schnalle den Sicherheitsgurt um und prüfe seinen Sitz. Man kann nie wissen.

»You see Daneborg?« fragt Bjarnason und zeigt auf einen flachen Küstenstreifen, auf dem einige graue Punkte verstreut liegen. Die Hütten heben sich kaum vom Untergrund ab und könnten ebensogut verschneite Felsblöcke sein.

Bjarnason geht tiefer, fliegt einige Runden über der Station und dem zugefrorenen Polarmeer und sucht einen geeigneten Landeplatz. Doch soweit ich erkennen kann, ist das Meer völlig ungeeignet für eine Landung. Schweres Packeis säumt die Küste, und weiter draußen ist die Schneefläche übersät von eingefrorenen Eisblöcken.

Während wir herumkurven, steigt aus dem schmalen, canyonartigen

Fjord, der sich westlich der Station gegen das Inlandeis hinzieht, Rauch auf.

Ein Signal für uns.

Bjarnason fliegt eine Schleife und hält auf den engen Fjord zu. Doch kaum haben wir dessen Beginn erreicht, werden wir von einer Luftströmung erfaßt und wie ein dürres Blatt im Wind herumgewirbelt.

Bjarnason umklammert mit beiden Händen den Steuerknüppel und kämpft gegen den Luftstrom an, der uns wie aus einem Windkanal entgegenpfeift. Er hängt am Steuerknüppel wie ein Torero, der einen wilden Stier an den Hörnern niederzwingt.

Die Maschine zittert und bockt, wird hochgeschleudert und sackt im nächsten Moment wieder durch ein Luftloch ab, die Tragflächen flattern und beben, einmal ist die linke oben, im nächsten Moment die rechte.

Wie lange werden sie noch halten?

Ich sehe Bjarnason an.

Er sitzt in Hemdsärmeln neben mir und ist ganz Konzentration. Wird er die Maschine zu Boden zwingen, oder werden wir an einer der nahen Felswände zerschellen?

Ich sitze völlig passiv neben ihm und kann nichts tun. Das bedrückt mich oft bei solchen Flügen.

Wenn es auch schwierig war, Kapitän Bjarnason hat mit seiner guten alten DC 3 auch diese Landung geschafft.

Kaysfeld und ich entladen die Maschine.

Die Pakete und Postsäcke werden von den Männern der Wetterstation übernommen und auf Hundeschlitten verladen. Eine kurze Kontrolle, einige schriftliche Formalitäten und der Blitzbesuch ist beendet. Zu einem gemütlichen Schwatz oder gar einer längeren Unterhaltung reicht die Zeit nicht.

Ich habe den Eindruck, daß sich die Männer von der Wetterstation auch gar nichts daraus machen.

Sie sind auffallend wortkarg.

Ein kurzer Gruß, dann wird die Tür verriegelt.

Bjarnason gibt Gas – die Maschine rollt an – wird schnell und immer schneller – hebt ab, und schon beginnt der Kampf mit der Luftströmung aufs neue.

Wird Bjarnason die Maschine in die Höhe bringen, oder werden wir wieder zu Boden müssen?

Wir sacken durch Luftlöcher, kommen den Fjordwänden bedenklich nahe, doch immer wieder kann der Kapitän die Maschine abfangen und auf Kurs bringen.

Er arbeitet und schwitzt, wir bangen und hoffen.

Halb hänge ich in den Gurten, halb preßt es mich in den Sitz. Schnee, Fels und Himmel gaukeln vor den Fenstern auf und nieder und treiben ihren Schabernack mit mir.

Einmal schaue ich hinab auf das Eis des Fjordes, dann wieder hinauf zur rechten Tragfläche, die wie die gigantische Rückenflosse eines Haies in die Lüfte ragt.

Nur langsam gewinnen wir an Höhe.

Endlich heben wir uns über die Fjordwände empor: Es ist geschafft.

Beim Start der Maschine saß der Bordmechaniker vorne auf dem Sitz des Co-Piloten. Jetzt, nachdem wir wieder in der Luft sind, kommt er zu mir zurück und bietet mir seinen Sitz neben Bjarnason an, da er weiß, wie gerne ich in der Führerkanzel sitze.

Während des Fluges über das Wollaston-Foreland erzählt mir Bjarnason, daß er diesen Hexenkessel von Windkanal bereits von früheren Landungen her kennt. Es ist immer dasselbe: der Wind bläst vom nahen Inlandeis herab, wird durch den immer enger werdenden Tyrolerfjord verstärkt und wie durch eine Düse hindurchgepreßt. Dabei bekommt die Strömung jene gefährliche Turbulenz.

Dem Wollaston-Foreland ist im NO eine kleine Insel vorgelagert. Fast könnte man ihren Inselcharakter übersehen, so eng schmiegt sie sich an das Festland an. Es ist die Sabine-Insel, der Winterhafen der Zweiten Deutschen Nordpolexpedition unter Kapitän Koldewey. Die Expedition verließ im Juni 1869 mit zwei Schiffen Bremerhafen: mit dem Expeditionsschiff »Germania« und dem Versorgungsschiff »Hansa«.

Am 15. Juli erreichten sie die Eisgrenze auf 74 Grad Nord, am 20. Juli sichteten die beiden Schiffe einander das letztemal, um dann im Packeis vor der Ostküste Grönlands für immer getrennt zu werden.

Kurz danach wurde die »Hansa« vom Eis eingeschlossen und driftete, manövrierunfähig, ihrem Untergang vor der Liverpoolküste entgegen.

Mehr Glück hatte die »Germania«.

Sie fand bessere Eisverhältnisse vor, bahnte sich den Weg zur Küste und überwinterte in einer kleinen Bucht an der Südküste der Sabine-Insel.

Kaum habe ich diese Gedanken zu Ende gedacht, gleitet unsere Maschine über das Wollaston-Foreland auf das zugefrorene Polarmeer. Ich werfe noch einen letzten Blick zurück auf die Sabine-Insel, von der aus Kapitän Koldewey und Julius Payer mit ihren Männern im Frühjahr 1870 zu ihrem Marsch ins Unbekannte aufgebrochen waren.

Da sie keine Schlittenhunde hatten, mußten sie die beiden Schlitten selbst ziehen.

»Keuchend lagen wir vorgebeugt in den Zugsträngen«, schreibt Payer in seinem Bericht über diese Schlittenreise, ». . . es war dies Durchbrechen und Ziehen eine Arbeit für Verdammte; Dante hätte sie den Koryphäen der Hölle vorbehalten.«

Nach 23 Tagen Schlittenreise betraten sie bei Kap Bismarck das Germanialand und überschritten in einem letzten Ansturm den 77. Breitengrad. Es war der bisher nördlichste Punkt, der an dieser Küste erreicht wurde.

Proviantmangel zwang sie zur Umkehr. Sie war ein Gebot der Vernunft.

Und so flatterten am 15. April 1870 die norddeutsche und österreichische Flagge auf einem Gipfel des Germanialandes lustig im Wind, um vom Entdeckergeist dieser beiden Nationen Zeugnis zu geben.

Der Rückmarsch war nicht weniger mühsam.

Schneestürme zwangen die Männer in die Zelte, Hunger nagte in ihren Gedärmen und das rohe Fleisch eines Moschusochsen verursachte ihnen Krämpfe und Übelkeit.

»Dazu gesellte sich Schlafsucht; manche gingen mit geschlossenen Augen, man konnte nicht bestimmt sagen, ob sie zogen oder schliefen. Wenn wir hielten, sanken sie sofort in den Schnee und in tiefen Schlaf.«

So schildert Julius Payer den Rückmarsch zum Schiff, der sich vor genau 99 Jahren da unten auf der großen weißen Fläche der Dove-Bucht, zwischen der Koldewey-Insel und dem Festland, vollzogen hatte.

Wenn auch die Ostküste Grönlands bereits in früheren Jahrhunderten von Abenteurern und Walfängern entdeckt wurde, so verdanken wir der Zweiten Deutschen Nordpolexpedition 1869/70 unter Kapitän Koldewey doch eine wesentliche Erweiterung unserer geografischen Kenntnisse dieses Küstenstreifens.

Im einzelnen lagen die Ergebnisse in der Erreichung des bisher nördlichsten Punktes, in der Entdeckung des Kaiser-Wilhelm-Landes, des Kaiser-Franz-Josef- und des Tyrolerfjordes; auch hat Julius Payer bei seinen Schlittenreisen erstmals die Existenz der Moschusochsen in Nordostgrönland nachgewiesen.

Die Borduhr zeigt zwölf Uhr Mitternacht.

Vor uns hebt sich glühend die Sonne über den nördlichen Horizont und schießt goldene Strahlenbündel in den blaßblauen Himmel. Zu unserer Linken werden die Bergspitzen des König-Wilhelm-Landes rosig überhaucht, und unter uns breitet sich wie ein purpurner Teppich das endlose Polarmeer gegen Osten. Millionenfach sprühen die Lichtquanten in den Raum, treffen unsere Maschine und lassen die Propeller zu goldenen Scheiben erglühen.

Weit im Süden liegt die Welt noch im Dunkel der Nacht. Auf dem samtblauen Himmel steht ein bleicher Mond. Nur wir hier auf 77 Grad Nord sind der Nacht entflohen und der Sonne näher.

»Moskus! You see them?« ruft Bjarnason und zeigt hinunter auf das Polarmeer. Im nächsten Moment stellt er die Maschine auf die linke Tragfläche und fliegt einige Runden, um tiefer zu kommen. Jetzt sehe ich sie auch. Ein Rudel von acht Tieren steht auf dem Polarmeer und hat zur Abwehr die bekannte Igelstellung eingenommen, bei der die Kälber und Muttertiere in der Mitte stehen, während die Bullen ihre spitzen Hörner und die kahle Schädeldecke dem Angreifer entgegenhalten. Einige weitere Muschus äsen auf einem blankgefegten Höhenrücken. Es mögen im ganzen etwa 15 sein. Wir können sie gut sehen, daher geht Bjarnason nicht tiefer, um sie nicht unnötig zu erschrecken oder in die Flucht zu jagen.

Nach einigen engen Kurven fängt er die Maschine wieder ab und fliegt nach Norden weiter.

Mittlerweile hat sich die Sonne über den Horizont erhoben und schwebt als goldene Scheibe im All. Ihre Strahlen treffen die eingefrorenen Eisberge im Fjord und lassen sie als helle Punkte gegen den purpurnen Schnee erscheinen.

Bjarnason fliegt in geringer Höhe über die Eisberge hinweg. Ein Zeichen, daß er bald zur Landung ansetzen wird. Und wirklich, nach etwa 10 Minuten sehe ich vor uns auf einem flachen Küstenstreifen einige halbverschneite Gebäude und einen Funkmast.

Danmarkshaven!

Wir fliegen die üblichen Runden, dann setzt Bjarnason die Maschine auf einem mit roten Fähnchen improvisiert ausgeflaggten Kurs auf das Eis.

Ich springe hinaus und schaue mich um: Eis – Schnee – und in der Ferne auf einem flachen Küstenstreifen einige halbverwehte Hütten, die sich um den stählernen Funkturm gruppieren. Das also ist Danmarkshaven, die nördlichste Wetterstation an der Ostküste Grönlands, wenn man von der »Station Nord«, die auf 81 Grad n. Br. liegt und von Thule aus versorgt wird, absieht.

Hier in Danmarkshaven leben 12 Männer und versehen Tag und Nacht, jahraus, jahrein, in stiller Pflichterfüllung ihren Dienst. Wenn die Einsamkeit zu tief wird, und die monatelange Dunkelheit der Polarnacht sich allzu drückend auf Seele und Gemüt legt, dann geht manch einer hinaus und hält stumme Zwiesprache mit den Sternen, dem Mond und den Lieben in der Heimat.

Ich bin gewiß kein Schwätzer, respektiere es auch, wenn jemand schweigen möchte. Aber gewisse Fragen interessieren mich doch, außerdem glaube ich, daß sich diese Männer nach der langen Einsamkeit gerne wieder einmal mit einem anderen Menschen unterhalten. Also frage ich sie dies und jenes und hoffe, mit ihnen ins Gespräch zu kommen. Ich suche nur eine kleine, harmlose Plauderei von Mensch zu Mensch, und außerdem will ich nicht den Eindruck erwecken, daß der »Östriger« ein unhöflicher, fader Kerl ist.

Aber diese Männer haben das Sprechen verlernt.

Man sagt nicht umsonst, die Landschaft prägt den Menschen. So karg wie das Land, in dem sie leben, so wortkarg sind auch sie; von der Einsamkeit gezeichnet. Fast scheint mir, als würden sie unseren Besuch als einen Einbruch in ihre private Sphäre empfinden und froh sein, bald wieder allein gelassen zu werden.

Diesen Gefallen tun wir ihnen, sobald die Maschine entladen ist.

Der Rückflug nach Mesters Vig geht nonstop vor sich. Aber auch dort halten wir uns nur kurz auf.

Die Maschine wird aufgetankt, wir verladen unser privates Gepäck, Erich Hintsteiner kommt noch an Bord und dann starten wir zur letzten Etappe nach Reykjavik.

Bjarnason fliegt über dem Flugplatz noch einige verwegene Runden. Ich habe den Fotoapparat am Auge und den Finger am Abzug, aber ich kann nicht abdrücken, da es mich mit solcher Wucht in den Sitz preßt, daß ich keinen Finger rühren kann.

Ich bin einige Sekunden lang wie gelähmt.

Bjarnason ist mit Leib und Seele Flieger.

Und hier, weit entfernt vom reglementierten Flugverkehr der Zivilluftfahrt, kann er sich austoben, seiner Freude an der Fliegerei auf seine Art Ausdruck verleihen.

Für kurze Zeit läßt er seiner Flugleidenschaft die Zügel schießen.

Dann aber besinnt er sich wieder und fliegt längs der Küste nach Süden. Langsam gleitet die Zackenlinie des Liverpoollandes unter uns dahin, dann öffnet sich nach Westen die große weiße Fläche des Scoresbysund, und allmählich versinken auch die höchsten Spitzen Grönlands im Norden unter dem Horizont.

INTERESSANTE GEOGRAFISCHE DATEN
WIE GROSS IST DAS EISVOLUMEN GRÖNLANDS?

Geografische Lage:

Nördlichster Punkt: Kap Morris Jesup	83° 39′ n. Br.
Südlichster Punkt: Kap Farvel (nördliche Breite von Oslo)	59° 46′ n. Br.
Östlichster Punkt: Kap Nordostrundingen (Längengrad der Westküste Irlands)	11° 39′ w. Lg.
Westlichster Punkt: Kap Alexander (Längengrad von New York)	73° 08′ w. Lg.

Ausdehnung:
von Norden nach Süden: 2670 km (Oslo – nordafrikanische Küste)
von Osten nach Westen: 1050 km (Wien – Genf)

Küstenlinie:
Gesamtküstenlinie ca. 39100 km (zum Vergleich: Erdumfang am Äquator rund 40000 km)

Fläche:
Gesamtflächeninhalt: 2175600 km² (größte Insel der Erde)
vom Inlandeis bedeckt: 1833900 km²
eisfreie Fläche incl. Küsteninseln: 341700 km²
(zum Vergleich die Fläche von Österreich:
83849 km²
Grönland ist 25mal größer als Österreich)

Einwohnerzahl:
Einwohnerzahl 1901: 11893
Einwohnerzahl 1966: 42102
Die Einwohnerzahl nimmt mit einer jährlichen Rate von 4 Prozent fünfmal so rasch zu wie im übrigen Dänemark.

Hauptstadt: Godthab (Westküste) ca. 6000 Einwohner

Länge einiger Fjorde:

Scoresbysund (Ostküste)	300 km
Nordre Strömfjord (Westküste)	190 km
Söndre Strömfjord (Westküste)	170 km
St. Georgefjord (Nordküste)	100 km

(zum Vergleich: Wien – Salzburg 302 km)

Größe einiger Inseln:

Disko-Insel	8578 km^2
Arveprinsens Ejlande	660 km^2
Holms-Insel	330 km^2
Söndre-Upernavik-Insel	246 km^2

Höchste Erhebungen:

Gunnbjörns Fjeld (Ostgrönland)	3733 m
Mount Forel (Ostgrönland)	3500 m
Perfektnunatak (Ostgrönland)	3000 m
Petermann Bjerg (Ostgrönland)	2970 m
Danmarkstind (Stauningsalpen)	2930 m
Stortoppen (Stauningsalpen)	2870 m

Gletscher:

Vom Inlandeis fließen viele Gletscher in die Fjorde und das Meer. Einer der berühmtesten ist der Jakobshavner Gletscher. Er hat eine Fließgeschwindigkeit von 30 Meter pro Tag, und von ihm löst sich durchschnittlich jede fünfte Minute ein Eisberg und stürzt donnernd in den Fjord. Von diesem Gletscher brechen täglich 20 bis 25 Millionen Tonnen Eis ab. (Kalben.)

Fließgeschwindigkeit unserer Alpengletscher: 20 bis 30 Meter im Jahr.

Inlandeis:

Der felsige Untergrund Grönlands gleicht einer riesigen Schüssel, die mit Eis gefüllt ist. Das Inlandeis steigt von den Küstengebieten gegen die Mitte leicht an und erreicht auf 72° N und 38° W mit fast 3300 Meter über dem Meer die größte Höhe.

Die durchschnittliche Dicke des Inlandeises beträgt 1500–1600 Meter, die äußerste Dicke 3400 Meter.

Das gesamte Eisvolumen Grönlands beträgt etwa 2,6 Millionen Kubikkilometer.

Würde das Inlandeis schmelzen, so würde der Spiegel des Weltmeeres um sechs Meter steigen. Über den Massenhaushalt läßt sich nach vorsichtigen Berechnungen sagen, daß das Inlandeis nahe dem Massengleichgewicht ist, vielleicht sogar etwas an Masse zunimmt.

Es sind jedenfalls keinerlei Anzeichen dafür vorhanden, daß das Inlandeis in seiner Gesamtheit an Masse verliert.

Das mag auf den ersten Blick überraschen, da fast alle Gebirgsgletscher unserer Erde rückläufig sind.

HISTORISCHE MEILENSTEINE
VON DEN STEINZEIT-ESKIMOS BIS ZUR ATOMSTADT UNTER DEM EIS

2000 v. Chr.	Die ersten Eskimos wandern vom amerikanischen Kontinent über den Smith-Sund in Nordgrönland ein. Ihre Kulturstufe wird als Independence-I-Kultur bezeichnet. (Paläoeskimos).
1000 v. Chr.	Wieder dringt eine Welle eskimoischer Jäger in Nordgrönland (Pearyland) ein. Sie gehören der Independence-II-Kultur an. (Paläoeskimos).
um Chr. Geburt	Die Dorset-Kultur breitet sich entlang der grönländischen Küste aus. Ihr Merkmal ist die Jagd auf die großen Meeressäuger, Walroß und Seehund, von der Eiskante aus. (Paläoeskimos).
875	Gunnbjörn Ulfsson wird bei der Fahrt von Norwegen nach Westen über Island hinausgetrieben und sichtet eine unbekannte Küste. (Ostküste Grönlands?)
982	Der Wikinger Erich der Rote, wegen Totschlages zum Verlassen Islands verurteilt, segelt nach Westen und entdeckt Grönland.
985	Nach Island zurückgekehrt, wirbt Erich der Rote unter seinen Landsleuten für das neuentdeckte »Grüne Land« (Grönland) und segelt mit 25 Schiffen nach Grönland zurück. Damit beginnt die isländische (normannische) Kolonisierung.
um 1000	Erich des Roten Sohn, Leif, segelt von Grönland weiter nach Westen und entdeckt die amerikanische Ostküste (Vinland). Er betritt rund 500 Jahre vor Kolumbus als erster Europäer den amerikanischen Kontinent.
um 1200	Vom Nordwesten Grönlands breitet sich die Thule-Kultur aus. Die Menschen dieser Kulturepoche (Neoeskimo) entwickeln das große fellüberzogene, hauptsächlich von Frauen geruderte »Frauenboot« (Umiak)

	und schaffen mit der Harpune das ideale Fanggerät für Walroß und Wal.
um 1300	Die neueskimoische Thule-Kultur geht in die Inugsuk-Kultur über, die sich entlang der West- und Ostküste nach Süden ausbreitet. Die Menschen, mit denen ich 1959 in Angmagssalik und Kungmiut, 1967 und 1969 in Scoresbysund und Kap Hope zusammen war, entstammen in direkter Linie dieser Kultur.
15. Jhdt.	Durch die sich verschlechternden klimatischen Verhältnisse auf Grönland und das gänzliche Abreißen der Verbindung mit der alten Heimat kommt es zu Hungersnöten und Degeneration unter den Normannen und im weiteren Verlauf zum Ende der isländischen Besiedlung Grönlands.
1530	Norwegische Seeleute entdecken einen toten Normannen auf Grönland. Mit ihm findet das Drama eines einstmals starken, in eine Sackgasse geratenen Volksstammes sein Ende.
um 1650	Die große Zeit des Walfanges in den arktischen Meeren um Grönland beginnt.
1721	Hans Egede, ein norwegischer Pastor, versucht die Verbindung mit den normannischen Siedlern in Grönland wieder aufzunehmen. Doch als er mit seinem Schiff »Haabet« (Hoffnung) dort landet, findet er keinen einzigen seiner Landsleute mehr vor. Die Normannen auf Grönland sind bereits seit über 200 Jahren ausgestorben.
1884	Der Däne Gustav Holm entdeckt in Angmagssalik, an der Ostküste Grönlands, einen Eskimostamm, der noch auf dem Kulturniveau der Steinzeit lebt. Diese 416 Angmagssalik-Eskimos kennen weder Bronze noch Eisen, jagen ihre Beute mit Stein- und Knochenwerkzeugen und gerben die Felle mit menschlichem Urin. Sie sind durch anhaltende Hungersnöte aufs ärgste bedroht. Da greift buchstäblich im letzten Mo-

ment die dänische Regierung ein. Mit großem Feingefühl und einem Verständnis, wie es kaum jemals von Kolonisatoren aufgebracht wurde, gelingt es ihr, den letzten ostgrönländischen Eskimostamm vor dem Untergang zu bewahren.

1888 Der Norweger Fridtjof Nansen durchquert erstmals das Inlandeis von der Ost- zur Westküste mit Skiern. Dadurch gewinnt man die Gewißheit, daß sich der Eispanzer über die ganze Insel erstreckt. Dieser Großtat war es auch zu verdanken, daß der Ski in weitesten Kreisen als Sportgerät bekannt wurde und in der Folgezeit seinen Siegeszug rund um die Welt antrat.

1909 Der Amerikaner Robert Peary erreicht am 6. April mit Polareskimos den Nordpol.

1912–1913 J. P. Koch und Alfred Wegener überwintern auf Dronning-Luiseland (77 Grad Nord) und überqueren im Sommer 1913 das Inlandeis an seiner breitesten Stelle auf einer 1200 km langen Route von Nordostgrönland nach Upernavik an der Westküste.

1921–1924 5. Thule-Expedition von Knud Rasmussen. Dies war wohl die längste Hundeschlittenreise, die jemals von einem Forscher unternommen wurde. Sie führte ihn von Grönlands Westküste über Kanada und Alaska bis zu den Gestaden des Pazifischen Ozeans. Nun war erwiesen, was Knud Rasmussen immer geahnt hatte: alle Eskimostämme, von Angmagssalik im Osten bis zu den sibirischen Küsten im Westen, sprechen die gleiche Sprache, singen die gleichen Lieder und erzählen die gleichen Sagen.

Die Eskimos sind ein einheitliches Volk, von der Beringstraße im Westen bis nach Angmagssalik und Scoresbysund im Osten.

1930–1931 Prof. Alfred Wegener startet von Graz aus zu seiner vierten Grönlandexpedition, von der er nicht mehr heimkehren sollte. Er erliegt im Herbst 1930 der Kälte und den Strapazen einer Hundeschlittenreise auf dem Inlandeis. Sein eskimoischer Begleiter, Rasmus Villumsen, nimmt Wegeners Tagebuch an sich, um die wertvollen Aufzeichnungen sicherzustellen, und zieht allein weiter. Während man Alfred Wegener im nächsten Frühjahr findet, fehlt von Rasmus Villumsen bis heute jede Spur. Über seinen Tod und das Verschwinden der beiden Hundegespanne herrscht völliges Dunkel.

1941 Vertrag zwischen Grönland und Amerika: die USA anerkennen die Souveränität Dänemarks über Grönland, verpflichten sich zur wirtschaftlichen Hilfe an Grönland, das durch die deutsche Besetzung Dänemarks von seinem Mutterland abgeschnitten ist, und erhalten dafür das Recht auf Errichtung militärischer Stützpunkte. Daraufhin entstehen in Narsarssuak im Süden und im Söndre-Strömfjord an der Westküste zwei große amerikanische Flugbasen.

1943 Eine kleine deutsche Wehrmachtseinheit landet in Nordost-Grönland und errichtet auf der Sabine-Insel eine Wetterstation.

1951 Unter größter Geheimhaltung entsteht im Nordwesten Grönlands der amerikanische Luftstützpunkt Thule. 7000 Mann arbeiten 18 Monate lang an diesem gigantischen Projekt, der »geheimnisvollen Stadt im Eis«, die einen Kostenaufwand von 1,3 Milliarden Dollar erfordert. Der Flugplatz hat eine Größe von 300 qkm, die Hafenanlagen stellen ein technisches Wunderwerk dar. Der Funkturm ist mit 395 Meter um 15 Meter höher als das Empire State Building in New York und einige Zeit das höchste Bauwerk der Welt. Erst als man dem New Yorker Wolkenkratzer eine Fernsehantenne aufsetzte, überragte er den Funkturm von Thule. Bohrungen hatten ergeben, daß der Boden bis in eine Tiefe von 500 Meter dauernd gefroren war. Dieser Permafrostboden durfte durch die Eigenwärme der Gebäude niemals zum Schmelzen kommen, da sonst die riesigen Gebäudekomplexe im Schlamm versunken wären. Also mußte man unter alle Bauten, auch die enormen Flugzeughallen, besondere Kühlsysteme einbauen. Thule war das Bauprojekt der Superlative im ewigen Eis der Arktis!

1952 Die skandinavische Fluggesellschaft SAS startet die ersten Flüge von Dänemark nach Kalifornien via Grönland.

1953 Grönland wird durch das neue dänische Grundgesetz eine gleichberechtigte Provinz. Es entsendet seine Vertreter in das dänische Parlament (Folketing) nach Kopenhagen. Während sich die meisten anderen Kolonien in Feindschaft von ihrem Mutterland lösen, schließt sich Grönland als gleichberechtigter Partner immer enger an Dänemark an.

1959 Am 30. Januar wird die »Hans Hedtoft«, das modernste, speziell für die Arktis gebaute und als unsinkbar geltende Flaggschiff des Königlich Grönländischen Handels, bei ihrer Jungfernfahrt vor Kap Farvel von einem Eisberg gerammt. Ein Funkspruch jagt durch den Äther: »Sinken langsam, brauchen Hilfe!« Doch bevor ein Schiff die Unglücksstelle erreicht, versinkt die »Hans Hedtoft« mit 95 Menschen an Bord in den stürmischen Fluten des Nordatlantiks.

Ein Rettungsring, 1000 Kilometer von der Unglücksstelle entfernt in Island an Land geschwemmt, ist der einzige stumme Zeuge einer der größten Schiffskatastrophen der letzten Zeit.

1960 Die Amerikaner errichten in der Nähe ihrer Flugbasis Thule, 100 Meilen vom Eisrand entfernt, eine Stadt unter dem Eis: »Camp Century«. Zur Versorgung mit Licht, Kraft und Wärme wird erstmals in der Geschichte der Polarforschung ein Atomreaktor installiert. 250 Männer leben in dieser Stadt unter dem Eis, die 1965 wieder aufgelassen wird.

1967 Nach mehreren Versuchen gelingt es endlich, den sechstgrößten Meteoriten der Welt auf ein Schiff zu verladen und nach Dänemark zu transportieren. Der Meteorstein wurde 1963 bei Savigsivik, in der Nähe von Thule, gefunden und wiegt 18 Tonnen. Er besteht zum größten Teil aus Eisen, etwa 8% Nickel, 0,5% Kobalt und aus geringen Mengen Phosphor und Schwefel. Er steht im Mineralogischen Museum in Kopenhagen.

Der grönländische Landesrat befürwortet Maßnahmen zur Geburtenbeschränkung, um der Bevölkerungsexplosion in Grönland Einhalt zu gebieten.

1968 Am 21. Januar stürzt in der Bucht vor Thule eine B-52 des Strategischen Bomberkommandos mit vier Wasserstoffbomben an Bord ab. Dieses Ereignis liefert Schlagzeilen für die internationale Presse und läßt die Welt aufhorchen. Man befürchtet größere Schäden, weil das im Wasser freigewordene Plutonium die Nahrung der Meerestiere verseuchen und durch Strömungen in andere Gebiete abgetrieben werden könnte. Dänische und amerikanische Atomphysiker, Meeresbiologen und Glaziologen eilen zur Unfallstelle. Sie kommen bei ihren Untersuchungen zu der Feststellung, daß das in den vier Bomben enthaltene Plutonium die Radioaktivität der Wassermassen der Thulebucht und des Wolstenholmfjordes nicht gefährden kann. Ob sie mit ihrer Annahme recht haben? Könnte durch solche Unfälle nicht nur das Schicksal Grönlands, sondern eines Tages auch die Zukunft und das Glück der ganzen Menschheit auf unserem Planeten gefährdet sein?